LE CAP DE LA GITANE

René Mauriès

LE CAP DE LA GITANE

Fayard

Il a été tiré de cet ouvrage vingt-cinq exemplaires sur Japon Bambou des papeteries Navarre, dont vingt exemplaires numérotés de 1 à 20 réservés à la vente, et cinq exemplaires hors commerce réservés à l'auteur, numérotés de H.C. I à H.C. V. Le tout constituant l'édition originale.

« Quand j'étais tout enfant, le sort d'aucun personnage de l'Histoire Sainte ne me paraissait aussi misérable que celui de Noé, à cause du déluge qui le tint enfermé dans l'Arche pendant quarante jours. Plus tard, je fus souvent malade et, pendant de longs jours, je dus rester assis dans l'Arche. Je compris alors que jamais Noé ne put si bien voir le monde que de l'Arche, malgré qu'elle fût close et qu'il fît nuit sur la terre. »

Marcel PROUST

« ... Mais, point capital, Socrate les avait contraints à admettre que c'est l'affaire d'un même homme que de savoir composer la comédie et la tragédie, et que le même art s'applique à l'une et à l'autre. »

PLATON, « Le Banquet »
(Traduction de Pierre Boutang)

« Si je ne me regardais pas vivre, pourquoi vivrai-je ? »

Henri DE MONTHERLANT
« *Malatesta* »

Toute ressemblance avec des personnes existantes et toute coïncidence avec des faits connus ou établis ne pourraient être que fortuites.

A ma Phuri Daï

Lorsque je revins au monde, la cinquantaine assise, l'événement jeta un froid. Saisie de zèle, ma mémoire, jusqu'alors assez dilettante pour bâcler son registre et gaspiller mes revenus de souvenirs, a dressé le strict constat de ce mouvement de mon existence. Je me rappelle donc les détails du phénomène, une sorte de translation de moi à moi-même. Son acuité ne cesse de m'étonner et me permet de toujours mieux percer la confusion de l'entre-deux-moi. Il m'a fallu le biais d'un accident pour connaître ces instants où l'on jaillit du néant purgé de son passé, avec l'heureuse diversion de réminiscences inattendues et la surprise des révélations qui montent de l'instinct.

Je dis que l'événement jeta un froid car la température se lisait sur les visages flous collés à la vitre ruisselante de l'aquarium fluorescent dans lequel je baignais. C'était en effet un étrange univers, à la Jules Verne. Des faces troubles m'épiaient, les unes avec les élans d'une curiosité crispée, d'autres refoulant leur compassion par un réflexe d'effroi, certaines figées dans cette fixité pâle qui trahit la fascination de l'horreur. J'en garde une souvenance lucide, au point de reconnaître — et jusque dans l'au-delà —, ces têtes d'un autre monde, vierges de toute ressemblance, que ma capture intriguait, et semblait inquiéter aussi. J'étais alors tout disposé, c'est vrai, et sans le moindre soupçon de tracas, à comparaître devant le premier Capitaine Nemo venu.

Mais cette confrontation n'eut pas lieu car je prenais une conscience nouvelle du décor. Je me voyais assis sur un rivage précaire, battu par une intense pluie d'abat, et que les eaux submergeaient déjà. Là, dans un fracas de tonnerre, je vivais le Déluge. Déchirée de flashes, la nuit passait du safre au soufre. Tout près, sur ma gauche, en marge de la côte, ses feux écarquillés et son humanité agglutinée aux hublots semblait caboter à l'estime, dans un halo laiteux, une arche de Noé. C'était assurément une mise en scène grandiose pour mon retour sur terre parmi les multiples séquences de la genèse. En effet, grâce à cette fantastique combinaison de son et lumière qui assurait mon réveil, je me retrouvais bien sur terre.

Je n'étais plus cette espèce de cœlacanthe visqueux, inspirant la curiosité, le dégoût et l'horreur au citoyen moyen déçu de tirer son origine du poisson plutôt que de la Vierge. Et moins encore un enfant du miracle, repêché aux confins de Mésopotamie, quand Dieu, impuissant à enrayer les déchaînements de ses créatures, ouvrit les vannes du ciel pour noyer sa création, établissant ainsi que le principe fondamental de l'eugénisme — mieux cultivé de tous temps, et surtout de nos jours, qu'aucun autre — est de savoir nager. Je me suis donc vraiment creusé la tête, que je sentais fort dolente et pesante — je le sais comme si c'était présent et à refaire —, pour me situer, inerte et trempé jusqu'aux os, dans une réalité tonitruante qui tenait de la fantasmagorie.

Voilà comment resurgit d'abord mon dernier Noël : le ruissellement de néon multicolore de Times Square et Broadway, la fulmination des pétards et autres engins d'artifice avec des panaches de feu et des nichées de serpenteaux, enfin le lessivage brutal qui m'avait étourdi puis jeté au sol et la lente dilution de mes whiskies secs sous la douche obstinée. Un Ariégeois connu de François, mon partenaire de reportage, s'était mis en quatre pour nous organiser une nuit de Noël délectable. Ce personnage truculent, du genre « parrain », justifiait par une inéluctable fatalité son cheminement, des sentiers tortueux de la principauté d'Andorre à l'enfilade démesurée de la Cinquième Avenue.

Sous une couverture de berger, il s'adonnait allégrement à la contrebande — quand l'occupation allemande l'aiguilla sur une autre illégalité. Sa connaissance exacte de la montagne en fit le plus sûr maillon d'une chaîne de passeurs, où certains combinaient sans vergogne, selon la qualité du client — évadé, résistant, Juif ou trafiquant —, le pur courage et l'affairisme sordide. « Le risque ne peut être toujours gratuit, expliquait l'Ariégeois. Il faut faire une distinction entre les gens qu'on embarque. Il y a les courageux, qui ont assez de détachement à l'endroit de leur propre vie pour la risquer et il y a les lâches, pour qui la vie se mesure à des sommes d'argent. Quand les uns en bavent, il faut bien que d'autres crachent. » Mais, pour la bonne morale, il escamotait la pratique de la rançon sous l'euphémisme d'un marché préalable et jurait ses grands dieux n'avoir jamais abandonné un fugitif en route. Aucun des multiples squelettes découverts après la Libération dans les caillasses d'Andorre n'encombrait donc sa conscience.

Au nombre des aviateurs anglo-saxons tombés en deçà des Pyrénées, et qu'il amenait ainsi au-delà, le ciel avait un jour glissé un Américain d'origine italienne, hôtelier à New York. Ils prirent d'autant mieux langue, en un sabir à la sauce latine, que le parachuté, bloqué en cours d'escalade par un lumbago, se planqua chez l'Ariégeois jusqu'à ce que les manipulations d'un rebouteux l'aient remis d'aplomb. Il en résulta une étroite intimité, affermie par une même inclination — l'Ariégeois m'en fit l'aveu — pour les aventures marginales. Hitler n'avait pas encore mis les pouces que, à l'invite de Giudicelli, l'Ariégeois s'installait taulier dans le no man's land de Central Park. Sa maîtrise aux jeux sans frontières fit rapidement de ce cow-boy pyrénéen, à l'héroïsme millésimé par une frappe de médailles qui impressionnait la naïveté américaine, un honorable caïd du « milieu » de New York.

Là se dissimulait l'enchaînement de la fatalité auquel il accrochait, comme des breloques, des confits de souvenirs accommodés à la persillade du patois occitan. « Une chaîne de passeurs, disait-il, ne pouvait que se nouer à une chaîne de maisons de passe. » Et, fidèle à une vieille recette régionale selon laquelle le sexe s'émoustille à la fourchette et se conserve à l'alcool, il possédait des intérêts dans un réseau stratégique de restaurants et de cabarets. Fier de cette organisation, il avait le sentiment d'assurer encore une certaine mission patriotique en corrigeant à sa manière une défaillance politique toujours sensible à l'étranger, aujourd'hui comme hier. « La France — il pontifiait pour imposer son dogme — était destinée à faire jouir le monde et à ramasser la monnaie. »

Ravi de communier dans son exil doré avec deux « pays », ce maquereau nationaliste se révéla un fêtard émule d'Alcibiade et calqua, sans le savoir, notre réveillon sur le « Banquet » de Platon. Son vice de passeur nous compromit alors dans le viol de toutes les frontières, celles de Central Park et de Harlem, de Lesbos et de la pédérastie. Il semblait même plus impatient que nous de vérifier si les trois sexes de nos origines justifiaient les trois vertus cardinales, la force — par le viril et le solaire —, la tempérance — avec le féminin et le terrestre —, la justice — apanage de l'androgyne et du lunaire. Dans la tumultueuse féerie de Christmas, l'ambivalence d'Eros établissait pourtant que, de notre capital de vertus, la valeur essentielle était bien la prudence, car la chute, sinon le châtiment, annihilait toutes les autres. Et notre nuit d'ivres-vivants, accordée sur la dialectique socratique d'une « illusoire sagesse sculptée dans la gueule de bois », s'était terminée au secret du « Clitoris ».

Ça paraît idiot de se raconter des histoires quand on ne sait plus du tout où l'on est, ni trop bien qui l'on est, encore moins ce que l'on fait, mais je vous affirme que ça rassure de renouer connaissance avec soi-même à la faveur de circonstances précises qui permettent de s'identifier. Alors, on dispose de tout son temps parce qu'il vous échappe et on s'attarde à ces retrouvailles, afin de se prouver que l'on existe. Cinglé comme je l'étais par la flotte, complètement abruti, sur le cul, dans le tintamarre et les éblouissements, tout concourait à me situer à la sortie du « Clitoris ».

C'était un cabaret privé, sous clé numérotée — encore une question de passe — avec un large bar pour scène. Sur ce zinc, illuminé comme une rampe par un jeu rasant de réflecteurs, évoluait un corps de ballet exotique, couleur acajou, ceinturé d'un pampre de vigne symbolique — feuille en croupe, grappe en pénil —, dont les silhouettes, caressées par un discret chatoiement de vitrail, s'estompaient dans une pénombre mouvante. Empressé auprès de la clientèle, il présentait un happening, en apparence désinvolte, sur le thème « Eve barmaid ». Mais ses évolutions étaient réglées selon une soigneuse mise en scène ajustée aux règlements du club. Si l'on pouvait, de la salle, distinguer l'anatomie standardisée de ces napées, toutes de même taille et coiffées en queue de cheval, échappées d'un paradis artificiel, en revanche, aux tabourets du bar, une épaisse chape d'ombre les escamotait à mi-jambe et n'abandonnait aux regards, dans des effluves agressifs de jasmin et de patchouli, que les allées et venues de petons nus, rubis sur l'ongle.

L'Ariégeois nous avait résumé le règlement. Toute commande doit être passée au comptoir et chaque membre du club y dispose d'une minute chronométrée, sous peine d'amende, pour appeler, par son prénom, la barmaid muette, accroupie à la turque devant lui dans l'attente des ordres. On ne voit d'elle ni le nombril ni la poitrine, qui ont un cachet aussi révélateur que celui d'un visage et l'identification se fait d'après des particularités vulvaires, la contexture d'un poil uniformément brun, le grain de la peau sous le fond de teint commun ou le point de repère de quelque originalité secrète. A chaque erreur du client, le sujet s'éclipse sans prendre de commande et la pénalisation double aussitôt. Une trentaine de barmaids se relaient ainsi en une nuit, nul ne pouvant soupçonner le rythme de la relève. L'admission dans cet ordre clitoridien exige un noviciat rigoureux, toute tentative de pratique préalable des filles entraînant une excommunication sans appel. Quant à l'office de la salle, il est assuré par une demi-douzaine de « squaws » simplement vêtues de leur longue chevelure noire qui s'épanche sur la poitrine, la tête ceinte d'une aigrette en couronne et un éventail de pennes ocellées nimbant les fesses.

Il n'avait pas hésité un instant, l'Ariégeois, quand, à peine nous étions-nous perchés sur les tabourets du bar, s'étaient largement ouvertes, sous nos yeux, de longues cuisses satinées, en bronze poli ou fuselées dans du bois des îles, trop belles et trop froides pour appeler le désir. C'était pourtant leur vocation. Je m'entendais nettement chuchoter à l'oreille de François : « Elle fait partie de ces femmes que l'on oublie de baiser tant elles fascinent par leur beauté. » Pas d'accord, il avait grogné : « Dans ce cas, on baise les yeux fermés. » Elle se nommait Pat. Le temps des présentations, puis du choix des consommations, j'enroulai mon regard dans les volutes d'un mignon cincinnus, une petite anglaise soyeuse aux reflets auburn, comme ciselée au bigoudis. Banalité, selon l'Ariégeois, pour qui le poil frise et tourbillonne toujours à l'entrée de la vulve. Bien plus étrange en effet — encore fallait-il la dénicher —, une minuscule granulation de corail, disposée, par un coup de dés vicieux, comme un « 421 » à l'ourlet des lèvres.

« Voilà Edith! Ses lèvres ne trompent pas », avait-il murmuré, en désignant d'un coup de nez la barmaid offerte, devant qui séchait notre voisin. Au fil des tournées, mon initiation s'attisait à la découverte des singularités les plus insoupçonnées, et je m'étonnais, en même temps, de la facilité des identifications. Ma mémoire visuelle me favorisait et, pour une fois, celle des noms ne me trahissait pas, tant elle s'avivait au jeu. Cette opération cuisses ouvertes s'accompagnait de giclées de whiskies-eau de seltz, qui écumaient dans les verres comme de l'urine. A croire que l'alcool, s'il aiguisait mon regard de voyeur, m'installait aussi dans une routine de laborantin ou de gynécologue.

L'Ariégeois n'en revenait pas de ma perspicacité et surenchérissait, à l'occasion, sur des indices plus subjectifs qu'évidents, où il décelait les effets de la fonction sur l'organe. Il m'avait recommandé Betty, dotée d'un appendice semblable à un embryon de sot-l'y-laisse. Puis, avec deux autres barmaids de son choix, requises pour la gratinée et les ultimes communions de cette nuit de Noël, nous étions partis à destination de « l'Hospitalet », une taverne de Greenwich Village. Sur le seuil, Betty avait éteint sans malice mon euphorie de néophyte : « Si l'on intervertissait les rôles, pas une d'entre nous n'userait d'une loupe pour établir la carte d'identité d'un phallus. Un simple coup d'œil... » C'est alors que nous fûmes anéantis dans un fracas aveuglant, dispersés, bousculés, renversés sous de violentes masses d'eau, qui s'abattaient sur nous ou nous prenaient de plein fouet...

Mais ils étaient grotesques, ces sexes qui avaient un visage et un nom et me revenaient dans leur détail avec une stupéfiante précision ! J'ai en vain cherché les fêtards hilares qui nous tenaient sous les jets croisés des lances à incendie. Je n'entendais plus les vociférations de l'Ariégeois, s'époumonant en patois et dégueulant à mes côtés, dans les flots qui le suffoquaient, une épaisse mixture de grossièretés ordurières. François, puis Betty qui, dans l'éblouissement d'une fusée, m'était soudain apparue cul par-dessus tête, plus aguichante avec ses hautes bottes blanches de hussarde et son collant fumé que toute nue, les autres, enfin, rejetés, comme des épaves, sur le brisant du trottoir, tous volatilisés dans la tourmente. Ils ne pouvaient m'avoir abandonné, seul, stupide, avec des hallucinations de visages vulvaires et assis dans le ruissellement moiré de Times Square !

Ce n'était donc pas Noël, et ma tête, de plus en plus insupportable, ne chavirait pas sous le poids de cette douce ivresse du « Banquet », où l'on s'étonne avec délices de vivre sans jamais en éprouver la moindre honte, parce qu'un « rien trop » se distille alors comme l'élixir même de la sagesse. Non, il n'était plus dans le coup, Platon !... C'est fou, je vous jure, ce que l'on peut se poser comme questions quand on ne colle plus à soi-même, qu'on se cherche en se regardant comme dans un miroir et qu'il y a toujours, lorsqu'on veut se toucher du doigt, une vitre devant soi. C'est affreux de ne pouvoir ajuster l'image de soi-même et de se voir à plat, sans épaisseur, personnage d'une bande dessinée qui est sa propre vie, toute lacérée, avec l'instinctive conscience qu'elle va s'en aller en lambeaux si l'on ne parvient pas à recoller au plus vite les morceaux pour en redevenir le héros.

Mais si ma vie s'égaillait sous les explosions, si le déluge, transformé en crachin, la liquéfiait, si je m'exaspérais à raccrocher mes souvenirs à la dérive, la douleur diffuse qui s'étendait en moi et irradiait, sans que je puisse encore préciser son origine, assurait mon existence. Je commençais à m'apercevoir dans une situation encore confuse, qui allait se précisant à mesure que se dissipait le délire d'une étrange anesthésie. Ça claquait plus sec que des artifices de fête et la nuit était pleine de ce bombardement infernal. Par instants, la géométrie d'une ville se découpait sur l'horizon incandescent, aussitôt flambée par des traînées de napalm. Fallait-il donc que j'aie été sonné pour ne pas me souvenir !...

« Et merde ! Je vais faire péter ma dernière fusée Sam ! » avait hurlé Joël, pour casser le silence et se libérer de l'angoisse qui nous poignait le cœur. A peine entendait-on suinter la nuit visqueuse. Elle étouffait même le pilonnage des bombardiers américains « B 52 » du côté de Phu-Ly. Hanoï, en pré-alerte, retenait son souffle. Seuls, de temps en temps, les chuintements mouillés de quelques vélos trahissaient, au carrefour, une vie furtive. Le cadran lumineux du gros poste de radio qui, des quatre coins du monde, et en toutes les langues, venait de nous confirmer l'implacable destruction d'Hanoï, donnait au vaste appartement de Joël des reflets laqués de vieux paravent chinois. Sur un fond gris-bleu, sensible au trait comme une ardoise, jouaient les ombres avec des incrustations nacrées, excitées par les clignotants des cigarettes ou le foyer palpitant de la pipe de Joël. Dans ces luisances fugaces, les visages prenaient des enluminures d'estampe.

Il y avait Théo, l'ancien, sa tignasse de mérinos presque roux, son visage disponible d'apôtre à l'œil clair, Théo-le-Vietnamien, frère en passion, jusque dans la sérénité des défis, d'un peuple dont le calvaire était le sien. Il ne buvait jamais d'alcool, sirotait parfois une bière, mais venait, ce soir-là, de vider au goulot sa troisième canette. Il y avait Franco, l'Italien, modèle du beau ténébreux de comédie, trop gentil personnage cependant pour un rôle de tragédie. Sa foi communiste, forgée en son pays dans le romantisme des maquis, mais émoussée par l'inhumaine rigueur d'une expérience prolongée derrière le rideau d'un autre monde, ne le sauvait pas de la banale satire qui daube sur l'allergie à l'héroïsme des gens d'Italie. Le voisinage tangible de la mort le terrifiait au point qu'il en perdait le sommeil, crainte qu'elle ne le prît par surprise. La nuit ajoutait ainsi à sa hantise, qu'il noyait dans la vodka. Mais il voyait bientôt deux morts au lieu d'une et se plaçait alors sous la protection de saint Théo, dont le rayonnement tranquille lui semblait une manifestation d'exorcisme infaillible. Ce soir-là, Franco pelotait nerveusement sa bouteille vide, fébrile comme un drogué en état de manque.

Il brûlait de courir se ravitailler tout en bas, au bar déserté de l'hôtel Hoa-Binh. Je sentais — et aussi Théo, car je me souvenais de l'échange d'un regard — que l'impérieux besoin de mouiller sa trouille afin de la désamorcer allait le précipiter dans la dévalée de deux étages, quand le coup de gueule de Joël nous avait saisis. Et Joël s'était arraché à son fauteuil, pour planter sa silhouette trapue à la pointe du balcon surélevé, qui se fondait dans le crachin comme la poupe d'une jonque. Il tétait, avec une obstination goulue, sa pipe trop bourrée. La flamme du briquet chantournait curieusement, sur des remous de fumée, son visage plein, piqué d'étincelles de tabac. L'anneau parfait de sa moustache et de sa barbe, dessiné à l'encre de Chine d'un pinceau minutieux, lui donnait un air de mandarin. « Et merde ! » avait-il répété tous azimuts, sa bouffarde maîtrisée.

Nous étions là quatre témoins d'Occident, deux qui croyaient au communisme et deux qui n'y croyaient pas, partageant le même sentiment de révolte et de honte devant un terrorisme aérien qui transformait systématiquement en crématoire la plus insignifiante paillote de la rizière... Tous quatre possédés par la drogue du risque, et rebelles aux servitudes d'un système qu'obsédait le souci de la propagande, plutôt que celui de l'information. « Et merde ! avait encore craché Joël dans une quinte de toux. D'une façon ou d'une autre, ils auront notre peau. » J'avais soutenu que le risque n'était pas d'aller chercher l'événement là où il naît, se cache, explose, fût-ce dans la bouillie de chair, de sang et de cendres, d'un peuple écrasé, pulvérisé, cramé du haut d'un ciel strié par les ailes de la justice et de la liberté :

« Le risque vrai, c'est de le rapporter, brûlant de réalisme et brutal d'honnêteté, pour le soumettre au jugement des politiques qui font tourner en chambre le monde sur l'axe de leur nombril. Le risque majeur, c'est de donner mauvaise conscience à une opinion privilégiée qui se vautre dans une existence jouisseuse.

— Voilà pourquoi le risque authentique, c'est de pouvoir dire merde à tout le monde, même à son patron, avait enchéri Joël.

— C'est la vraie richesse pour un journaliste.

— Sans doute, mais il en crève et toujours aussi pauvre...

— La presse, qui a la coucherie facile, c'est comme une femme à qui tu refuses de faire l'amour. Elle prend l'indépendance pour un affront et se venge en jouant les effarouchées, à l'image des putains qui crient au viol. »

Les deux qui croyaient au communisme n'avaient rien dit. Ils pensaient comme nous.

Nous nous étions levés ensemble, émus par un roulement semblable à celui d'un métro lointain, mais dont les vibrations commençaient à agacer la carcasse de l'hôtel. « Ils mettent le paquet ! » avait soupiré Théo, de sa petite voix timide. Et, dans la soudaine blancheur d'une fusée éclairante, Joël nous était apparu au seuil de la cuisine, sa dernière bouteille de champagne à l'armé sous le bras droit, comme une mitraillette, goulot pointé vers la rue poisseuse. Dans le brusque saisissement de la lumière, il ressemblait à un personnage de cire, figé à l'assaut, avec un air de circonstance vraiment cocasse, c'est-à-dire agressif et méchant comme un coq. Puis il s'était mis en mouvement, le regard fixe, traversant au pas de charge la salle de séjour, pour aller prendre position sur le balcon, en quête d'un objectif. « Fais pas lé con ! » avait gentiment supplié Franco. Même dans les moments les plus pesants, et jusque sous la torture de la peur, il enrobait son angoisse de modulations suaves, qui donnaient l'illusion d'une suprême désinvolture.

Dans les dernières retombées de la fusée qui s'étiolait, Joël avait dirigé son tir vers les miliciennes aux aguets, de l'autre côté de la rue, sur le toit d'une usine où une batterie de D.C.A. se lovait dans un nid de sacs de sable. D'un coup de pouce, celui que l'on prête parfois au destin quand le cours des événements nous échappe, il libéra le bouchon. Déjà énorme en soi dans la résonance tendue de la nuit, ce pet de champagne prit, en écho, une amplitude apocalyptique. Car, par une de ces coïncidences burlesques où se justifie le jumelage originel du rire et des larmes, il enclencha les hurlements sauvages des sirènes, fit éclore la corolle vaporeuse des projecteurs qui, au ciel crasseux, couronnait déjà Hanoï de l'aura du martyre et déchaîna la D.C.A... « Yé té l'avais bien dit dé né pas faire lé con ! » La douce plainte de Franco s'était insinuée dans le vacarme, tandis que nous vidions la bouteille à la hâte. Et nous avions dégringolé au carrefour.

Théo, qui en était alors à sa septième année de purgatoire nord-vietnamien, tirait sa sérénité d'un mépris absolu pour les abris dérisoires que l'humanité commune imagine avec l'illusion d'éluder les fatalités conjuguées de la religion, de la science et de la politique. Mais en cette nuit asthmatique où les sifflements et les souffles des fusées, des obus et des bombes se disputaient, dans un raffut de miaulements, d'abois et de déflagrations, un air irrespirable, le drame, intense, se propageait à l'aveuglette. Les fulgurations qui délayaient la brouillasse trahissaient des ventres opalins d'avions, semblables à des squales maraudeurs évoluant en eau trouble, toutes nageoires dehors. Des plongées osées dans les bas-fonds, pour se faufiler sous la madrague de la D.C.A., déclenchaient autour de nous des salves nourries, chaque milicien rêvant au miracle (sans cesse exalté dans l'évangile des héros) d'épingler un avion, comme un papillon, à la pointe de son mousqueton. « Une façon comme une autre de s'affranchir de la peur », disait Théo.

Assis sur le rebord du trottoir, nous enregistrions, jusqu'au nœud des tripes, la densité du bombardement qui cernait la ville. Son épicentre s'était vite rapproché. Malgré le filtre sale du brouillard, les flamboiements des incendies nous donnaient des masques incarnats. Et le séisme nous avait jetés les uns sur les autres, puis roulés, dans une rage de tornade, sous une jonchée de branchages et une grêle de gravats. Assourdi, assommé par cette désintégration, j'étais revenu à moi assis dans une large flaque, guidé par la voix lointaine de Théo : « Ça saigne beaucoup pour pas grand-chose, le crâne », disait-il en épongeant mon visage, ensanglanté par une légère déchirure du cuir chevelu. Debout, Joël s'interrogeait tout haut sur l'engin qui, dans l'axe de l'avenue, avait ébranché les arbres avant de pulvériser, juste derrière l'hôtel Hoa-Binh, un agglomérat de torchis, troué comme une termitière. Il abritait un peuple menu qui bricolait sa vie on ne savait comment, une si piètre existence que nul ne se souciait de savoir s'il l'avait perdue. Un intolérable silence entérinait cet anéantissement d'un bout de monde. Hébété, Franco répétait : « Nous restons seuls... »

Je restais seul, tout seul, une fois encore trop seul, les reins glacés par un bain de siège de plus en plus froid et, aux lèvres, la saveur douceâtre du sang. Si les sons, avec mes réactions, s'amollissaient, ce n'était plus dans l'atmosphère d'étuve d'Hanoï, ni sous la terrifiante paralysie d'un bombardement de « B 52 ». Le simulacre forçait sur la pluie, pas assez sur le bruit. Et il y avait cette ribambelle de visages pâles et fades, reclus dans leurs cellules vitreuses. Il ne s'agissait pas, certes, de l'arche de Noé — à quoi peut-on songer ! —, mais je me sentais tout de même en droit de les injurier pour leur indifférence, car je réchappais, moi, d'un déluge autrement sérieux que celui de la Bible. Hanoï, Haïphong, Phu-Ly, les bombes à billes, je ne rêvais pas... Mon prof' de philo disait qu'il ne fallait pas mélanger le sang des accouchements et celui des assassinats. Mais il est des délivrances qui s'exaltent dans les massacres. Et les billes de bombe de Times Square et Broadway, elles étaient vraies, elles aussi. Cependant je ne faisais ni la fête ni la guerre, ce grand chambardement n'était ni un feu d'artifice ni un bombardement, je ne chavirais pas dans l'ivresse, mais ça ne tournait pas rond et je marinais stupidement, le cul dans l'eau sous un orage diluvien, sans savoir pourquoi, ni où, ni comment — avec, sur mon visage ruisselant, du sang têtu et tiède qui chatouillait mon nez et poissait ma bouche... Sans savoir où, ni comment, ni pourquoi... Comment, pourquoi, ni où ?...

La glissade veloutée d'un avion, qui chiffonnait l'air tout bas, me fit lever la tête. Un atroce élancement en pleine nuque la bloqua. Dans l'éblouissement de la douleur, je voyais le toit, immense toile d'araignée perlée aux griffes d'un buisson. Il s'égouttait. Et les pinceaux des projecteurs, les touches des éclairs, composaient, sur ses mailles, dans un halo irisé qui s'évaporait du sol, une féerie d'émaux.

Telle fut la première étape de cette translation de moi à moi-même. Elle me déposait devant le stade de Munich, au final du crépuscule des dieux d'Olympie. C'était le début d'une mésaventure pénible et drôle, qui archiva mon passé en me laissant une mémoire effacée, comme vierge. Et, par l'élimination successive des souvenirs, cette seconde existence, dont je prenais peu à peu, et douloureusement, conscience, s'y est gravée jusque dans la babiole.

« Ça saigne beaucoup pour pas grand-chose, le crâne ! » avait dit Théo. Je comprenais à présent le lent dégoulinement qui engluait tout le côté gauche de ma tête. Il glissait du milieu du front pour suivre l'arête du nez, suintait dans l'épaisseur du sourcil, cernait l'œil, roulait sur la joue, et déviait aux commissures de la bouche. Une rigole serpentine dévalait aussi le long de la tempe et, se faufilant dans mes cheveux, courait se déverser au creux de l'oreille. Le trop-plein cascadait ensuite dans le cou. Au moindre mouvement de la tête ou des mâchoires, j'entendais glouglouter mon sang dans la caverne sonore du crâne. J'avais même la sensation écœurante qu'il filtrait au palais de ma bouche, où collait une langue fade et visqueuse. Du bout des doigts, j'étais remonté à la source sans oser achever le tracé sensible qui n'en finissait pas : une plaie cuisante au sommet de la tête. Je savais désormais que j'étais avachi sur la route, ridicule comme un clown blessé au pied du plus grand chapiteau du monde. Un clown barbouillé de vermillon, qui en avait partout, plein la poitrine et les bras, car je saignais aussi de la gorge, comme une gorge peut saigner au niveau de la pomme d'Adam. Et mon polo était imbibé à saturation de pluie et de sang.

Qu'attendait-elle cette humanité imbécile qui défilait au ralenti sur ma gauche, confinée dans ses voitures ? Elle me dévisageait avec une compassion curieuse ou des réflexes de répulsion, dans le battement d'éventail des essuie-glaces qui découpaient mécaniquement le rideau de pluie, et à travers les déchirures des voiles de buée collés aux vitres. Qu'attendait-elle donc pour débarquer sur cette planète baroque, aux reflets bleu canard, où je barbotais en détresse ? Cette procession muette de têtes avait cependant une âme, puisque je voyais se détourner des visages horrifiés. Mais pourquoi ces cons à sens unique me laissaient-ils patouiller ainsi, dans cette mare de sang diluée par la pluie qui, au miroir des veilleuses, envahissait l'avenue de son ruissellement vermeil ? Une mare de sang... La non-assistance à personne en danger... Je retrouvais, en ouvrant mon enquête sur ce fait divers qui venait de prendre la gravité d'un drame personnel, les formules toutes faites des chiens écrasés.

Qu'est-ce que je foutais donc, à rebrousse-poil de l'humanité, échoué sur l'esplanade pailletée du Stade Olympique de Munich, et meurtri, sans autre envie que celle de demeurer assis ? Que s'était-il passé ? Pourquoi les gens ne s'attroupaient-ils pas autour de moi, d'ordinaire avides de sang ? Je subissais mon désarroi dans mon impuissance à lancer un appel ou à faire un mouvement, et avec l'abominable sentiment, né de la désertion générale, que ma vie n'était plus que dérision. Cette image hallucinante et cette angoisse charnelle je les garde toujours aussi vivaces. Car le choc de cette émotion m'a rendu à moi-même.

Il y avait deux braises piquées juste devant moi, à une cinquantaine de mètres, deux prunelles fauves, comme vivantes, qui mordoraient la pénombre au ras du sol, les cataphotes d'une grosse voiture arrêtée en crabe. Elle faisait barrage sur la droite et servait d'épi pour dévier la circulation de gauche. Sur la chaussée délavée, le paraphe d'un dérapage biffait en spirale la voie normale de roulement. Je me trouvais au point de départ de ce dérapage. A l'autre bout, le croupion massif d'une « Mercedes » d'âge mûr. La traînée sombre des pneus, bloqués par un violent freinage, fonctionna comme une mèche. Et ce fut l'illumination. J'avais donc été fauché par cette limousine noire de vieux style, propre et nette avec ses pare-chocs luisants, voiture d'une élégance désuète, en habit du soir, que l'on imaginait mal compromise dans la banalité d'un accident. L'ineptie de cette remarque immédiate me surprend encore. Mais j'ai souvent noté que la gravité des événements suscitait en moi des réactions burlesques. N'avez-vous jamais été pris d'une crise de fou rire dans la tension pathétique d'un enterrement ? Puis, si j'en jugeais par la distance entre l'impact et l'arrêt, il devait rouler vite Herr von X..., ou son chauffeur.

Ça fait tout de même drôle de jouer les victimes de la route, de comprendre que l'accident n'est plus seulement le malheur d'autrui et de songer que l'on meuble, à son tour, la rubrique des chiens écrasés, une bonne école malgré ce qu'on en dit. J'ai toujours répété à mes stagiaires qu'un fait divers, bien traité, devait être un petit reportage : « On ne vous paie pas pour recopier les rapports des flics. » Tiens, je n'en voyais aucun. Sans doute procédaient-ils à l'enquête. Ils allaient m'interroger. Mais je n'avais rien à dire. « Vous êtes journaliste, renversé par une voiture, et vous n'avez rien à dire ? Vous ne savez rien ? » Le comble du ratage. Cet échec professionnel avait un instant accaparé mes pensées. Il me laissait morfondu sous la pluie et sourd à tout ce qui se déroulait autour de moi, même à ma douleur. Ce n'est pas pour effacer cet échec que je vous inflige mon histoire, car elle vaut davantage par ses péripéties que par ses causes. Je vous livre mes réflexions du moment parce que leur souvenir exact me permet de revivre le processus de ce dédoublement de moi qui m'a donné un frère jumeau parfait. Sa compagnie m'est devenue indispensable, puisqu'il a vécu et qu'il me raconte cinquante ans de mon existence.

Sourd, je l'étais sans m'en douter. Je ne sais comment mes oreilles congestionnées se déchirèrent tout à coup à me faire mal, comme après une descente rapide en avion. La cacophonie du dehors fit irruption dans ma tête et la brutalisa. Pourtant, à mesure que les bruits se décantaient, ma participation à la vie devenait plus évidente. La lourde flagellation de la pluie avec des remous de gargouille, le grésillement des pneus sur le bitume mouillé, le ronron résigné de la procession des moteurs, que tentaient d'exciter des stridulations policières, les soubresauts de l'orage qui, dans un coin de ciel cendré comme le fond d'un âtre, rentrait son feu et sa rage, une rumeur en contrepoint dénonçant l'embouteillage : je déchiffrais l'orchestration d'un événement en partie centré sur moi —, le blessé-qu'il-ne-faut-pas-toucher, et qui empêche momentanément le monde de tourner — mais dont j'ignorais encore les détails. Et, sur cette dissonance qui tracassait ma tête fragile, se détacha vers mon flanc droit, proche et nette, une voix au fort accent bavarois : « Voilà un bon quart d'heure que le poste de secours est prévenu. Qu'attend l'ambulance ?

— C'est l'armée ! » dit quelqu'un.

J'avais commencé à faire le point, et je savais, à présent, que je ne rêvais plus. Je n'étais pas à l'abandon, on s'intéressait à mon sort. J'appelais en vain ma voix et ne parvenais pas à délier ma langue. Je tenais cependant à montrer ma lucidité — souci capital quand on sait qu'elle vous a un moment échappé —, et aussi ma gratitude, car j'étais content de n'être point seul. Je me concentrais sur cet effort de récupération, mais le Bavarois avait ajouté : « Ils ne vont tout de même pas le laisser crever sur place ! » (Man kann ihn doch nicht auf der Strasse verrecken lassen !) « Verrecken », ça signifiait bien « crever ». La brutalité du propos me démontait, à l'instant précis où je récupérais mon assiette. Crever ? A présent ? Avec ma connaissance retrouvée ? Quand il y avait plus d'un quart d'heure que je macérais dans le cirage? Non, je ne pouvais crever, puisque j'étais redevenu moi-même. Je voulus braver le malotru qui disposait ainsi tout haut, avec semblable aplomb, de mon destin. Comme à la caserne, je fis « tête droite ». Elle était coincée, et l'amorce de sa rotation m'arracha un gémissement aigu. Sans doute était-ce mon premier cri, car on se précipita :

« Parlez-vous allemand ? »

Du cornet d'un capuce penché sur moi, se détachait un fin visage aux yeux bleus, effilé par une blonde barbiche de mousquetaire. Un sosie du champion finlandais Pekka Vasala qui, au cours de l'après-midi, avait vaincu Keino dans la finale du « quinze cents mètres ». Imagine-t-on que l'on puisse crever, quand on rassemble à nouveau, sans peine, le souvenir des visages et celui des événements ?

« Parlez-vous allemand ? » répéta le cappucino.

L'émoi du dialogue me rendit ma voix :

« Oui... Et je le comprends bien. »

Il m'apaisa, la main posée sur mon épaule. Elle était douce, cette main :

« Ne vous alarmez pas. Je doute que vos blessures soient

graves. On vous sauvera... Mais il ne faut plus qu'ils tardent, car vous perdez beaucoup de sang. »

Il s'était relevé. Le brouhaha devenait silence. La voix s'y fondait. Comme le fading d'une émission de vie qui retournait au néant :

« J'ai vu votre macaron de presse. Pardonnez-moi de ne pas parler français. »

Rude, la main qui remplaçait l'autre. Elle m'apportait une tête adipeuse et mafflue, aux yeux globuleux, si outrancière dans sa compassion qu'elle en arrivait, d'emblée, à la minute des condoléances : « Ce n'est pas de ma faute », soufflait-elle dans un relent aigre de bière mal digérée. Moins une justification qu'une absolution. Ce personnage de Breughel, extrait d'une fresque paillarde de l'Oktoberfest de Munich, mit genou en terre pour me demander par quelle aberration je m'étais jeté sur sa voiture. La mimique contrite qui viciait son innocence me rendit agressif. Crever avec la conscience toute neuve de son existence et, de surcroît, affligé d'une culpabilité arbitraire, c'était trop de sacrifice à la fois.

« Je ne sais pas voler ! » dis-je.

Le chauffard roula des yeux ahuris, qui doutaient manifestement de mon équilibre. Je l'amenai à reconnaître qu'il n'existait, devant le Stade Olympique, aucune voie piétonne, ni aérienne, ni cloutée, ni souterraine. A qui donc la faute ? Il s'était déplié avec un haussement d'épaules évasif. Je me souciais pourtant moins de ce problème de responsabilité que de mon incapacité à tourner la tête à droite. Cette paralysie m'inquiétait davantage que mes plaies. Sur l'appui de mes bras, je pivotai doucement dans mon bain sanglant.

« Il ne faut pas bouger », protesta le blondin à capuce. Le flot descendant des voitures, celui qui déferlait au ralenti dans mon dos, était détourné au large, sur la bretelle réservée aux cars spéciaux du Village Olympique et du Centre de Presse. Il n'y avait plus de mystère. Je croyais émerger des abîmes de l'éternité alors que je dérangeais simplement, depuis une vingtaine de minutes, la routine quotidienne. Aujourd'hui, un gisant sur une route laisse en effet le monde froid. C'est un coupable, coupable de son malheur puisqu'il n'appartient qu'à lui — et aussi de la gêne que son erreur de conduite inflige à autrui. La fatalité n'existe plus dès lors qu'on peut la mettre en pourcentages. Elle perd son caractère de maléfice ou de malédiction, l'absolu de sa détermination. Où était-il écrit que je devais assurer, au dernier soir des Jeux Olympiques les plus colossaux de l'époque, l'ultime attraction, celle d'une danse du scalp, menée autour de moi par le carrousel automobile du cirque moderne ? Fadaise que de faire d'un accident une fantaisie du destin !

Je blasphémais, car je ne me souvenais pas encore de l'annonce de ma mésaventure ni ne soupçonnais à quel point elle était exacte. Elle s'encartait donc, pour l'instant, parmi bien d'autres épisodes plus spectaculaires, dans la banalité des choses de la vie... *Les Choses de la vie*, je me souvenais soudain de la peur de Pierre Delhomeau. C'était la mienne et elle me glaçait. La froide humidité de la route me pénétrait, la pluie me transperçait, comme si ma carapace de vie s'écaillait. Je découvrais ainsi, pour la première fois, la mort avec « sa gueule de raie ». Elle a une gueule de raie, en effet, ultra-plate, et enrobe sa hideur d'un ondoiement fantomatique.

Jamais, même dans les pires circonstances de mon existence, je n'avais vu venir la mort. Jusqu'à présent elle était toujours tombée à l'improviste autour de moi, liquidant ses comptes avec des inconnus, des voisins, des parents, des copains, et me mettant devant le fait accompli. Elle empruntait alors le visage éteint et figé de ceux qu'elle emportait. Non, je ne l'avais jamais prise en flagrant délit, ni lors de mes multiples campagnes de correspondant de guerre, car elle frappait partout à la fois, ni le soir où elle s'était emparée de mon père. Pourtant, informé de l'inéluctable rendez-vous, je la guettais depuis le matin. Mais afin de me surprendre, elle avait dû se faire une belle gueule, pour que mon père, qui la voyait lucidement venir, lui, la suive avec le sourire, peu avant minuit. Il était ainsi parti sans que je m'en aperçoive. A vrai dire, ils se connaissaient depuis Verdun et il lui savait gré d'avoir bénéficié, malgré sa mutilation, d'un sursis inespéré. Sans doute quand on a dix-huit ans et qu'on ignore encore presque tout de la vie, surtout lorsqu'elle s'est montrée ingrate, la mort n'offre-t-elle pas le même visage. Mon père s'en était donc allé avec la mort de ses dix-huit ans, celle de la fleur au fusil, du casoar et des gants blancs.

Mais, pour moi, elle rôdait avec sa gueule de raie. Elle me rappelait encore la mort de Pierre Delhomeau, habit noir, plastron blanc et queue d'épines, dans les évolutions de son rituel satanique, mort ignoble et répugnante, vraie mort de croque-mort, jalouse des jouissances de la vie. Ma tête bloquée, si lourde à porter — le sixième du poids du corps, une tête —, mon cou, où le moindre mouvement devenait torture, ces symptômes trahissaient une fracture de la colonne cervicale, ce « coup-du-lapin », dont on disait qu'il tue ou paralyse. Etais-je donc, moi aussi, « médicalement mort sur le coup », condamné à voir la gueule de raie m'entraîner peu à peu, comme Pierre Delhomeau, dans les ondulations de ses immenses nageoires, vers les profondeurs glauques du néant ? Ou bien ma vie passionnée de bourlingueur —

j'en tenais le secret de Thésée, qui bande vers tout, selon Gide — allait-elle se scléroser et languir sur une voiturette de paraplégique ? Pris de panique au point de forcer ma douleur, je me livrai, pour éprouver le jeu de mes bras et celui de mes jambes, à une gesticulation frénétique. On crut que je me débattais dans les spasmes de l'agonie. Une femme poussa quelque part un cri de paon. « N'approchez pas, laissez-le mourir en paix » dit le cappucino d'un ton péremptoire. Mais déjà le chauffard était sur moi, la larme à l'œil. Un poignard fiché au creux de ma nuque m'immobilisait. Je gémis que tout allait bien. « *Sehr gut !* » confirma le bon gros, prompt à apaiser sa conscience. La main douce s'était à nouveau posée sur mon épaule, inquiète et légère comme un oiseau. J'y sentis une bénédiction muette, la consolation de ce bienheureux aveuglement des moribonds, qui les fait passer guéris dans l'au-delà.

On entendit monter du lointain les feulements répétés d'une sirène qui s'énervait. « L'ambulance... Trente-cinq minutes ! » grogna le chauffard. Je portai ma montre-bracelet à mes yeux. Elle avait été écrasée avec moi, témoin de la minute exacte du choc, huit heures moins onze. L'ambulance n'arriverait pas avant la demie.

Quarante minutes et plus, échoué devant une foule indifférente, là même à l'entrée du stade où, à l'heure du thé, l'Américain moustachu Franck Shorter, stupéfait, croisait, au terme de ses quarante-deux kilomètres du marathon, le faux vainqueur qui venait de lui souffler son triomphe. Un hoquet de rire m'échappa, qui fit vibrer ma tête, à la vision ranimée de ce garçon au visage poupin, blond et grassouillet, dossard numéro 72 dont tout le monde cherchait en vain le nom, ignorance qui, dans toutes les langues, avait rendu ridicules les chroniqueurs de radio et de télévision. Poussif mais hilare, il avait fait se dresser, dans sa ronde solitaire sur la piste reine des champions, quatre-vingt mille témoins délirants. Après son petit tour, il s'en était allé devant la haie des policiers, comme s'il fuyait la gloire, savourant, en secret, l'exploit sans précédent d'avoir introduit la farce dans l'épopée des Jeux.

Quarante minutes, rejeté par une humanité saturée de drame qui, cinq jours auparavant, avait vu la tragédie souiller de sang le théâtre sacré d'Olympie, en une séquence insensée de la guerre israélo-palestinienne... Quarante minutes, pour moi impalpables, éternité et néant à la fois, à la lisière de deux mondes, quarante minutes occupées à me récupérer moi-même et à me réintégrer, après la diablerie d'une fugue à l'école buissonnière de la vie, dans la sévérité du présent... Quarante minutes de divagations, pour venir buter contre l'évidence d'une coque grise d'ambulance, émergeant du flot des voitures. Elle louvoyait avec une lenteur de fourgon mortuaire, sans mettre de sourdine à ses rugissements qui fracassaient mon crâne. Elle fixa enfin sur moi son regard blanc, aveuglant, vint me flairer et, après une série de manœuvres équivoques, pondit sous mon nez quatre soldats balourds qui m'étendirent d'autorité sur une civière.

Un imperméable plus long qu'une soutane engonçait le chef. Il justifia son retard par l'orage qui décuplait « le bordel quotidien » et jugea que « le cirque » n'avait que trop duré. Couché, je voyais, dans tout son déploiement, le grand chapiteau encore illuminé du dedans. A lui seul, il semblait coiffer le grouillement d'un douar un soir de souk. Demain, c'était la fantasia finale, avec l'ultime parade des adorateurs du feu d'Olympie, au pied de la vasque ventilée de drapeaux où s'éteindrait la flamme. En me voyant bouger, le chef s'était soulagé de sa crainte d'arriver trop tard. Le bon gros l'avait aussitôt informé de ma nationalité et de ma connaissance honnête de l'allemand. Et ce sous-officier débonnaire, fantôme huilé soudain penché sur moi comme un autre Allemand trente ans plus tôt, avec la même compassion, le même accent, le même salmigondis de langues pour nourrir mon espoir, réduisait mon mal à « nichts », m'assurait que je retrouverais sans tarder les Folies Bergère et Paris et qu'il n'existait pas de meilleur remède que le champagne pour se requinquer dans la vie. Je bénéficiais donc d'une chance insolente. C'était la première démonstration d'un théorème apparemment malséant qui, au fil des jours, allait prendre une rigueur quasi scientifique et une densité humaine troublante, au point de devenir un truisme presque humiliant.

Tandis que l'on m'installait sur le plancher de l'ambulance, le chef avait sollicité la présence d'un témoin « en cas de rapport ». Et le sosie de Vasala s'était assis d'un bond sur l'une des banquettes latérales. Il avait rejeté son capuce et regonflé sa chevelure folle d'une main alerte, au doigté féminin. Deux cadenettes coulaient sur son col roulé. Elles lui donnaient l'air séraphique de Raphaël conduisant Tobie. Juste au-dessus du mien, son visage souriant me fascinait. Je m'accrochais à lui car, dans la lumière blafarde du plafonnier, j'avais la sensation de voguer vers un monde irréel. Je ne saurais préciser si j'ai alors pensé à Maurice Clavel ou si l'idée m'en est venue en revivant cet instant qui me fige encore, mais il dit juste : « Crève un peu et tu verras Dieu. »

J'avais glissé mes mains en coussinet sous ma nuque pour atténuer le supplice des secousses, qui tenait à la fois de la décollation et de l'empalemnt. Mon ange gardien parlait pour me distraire de ma douleur. Il me narra l'accident, qu'il avait exactement suivi, car, paraît-il, je l'intriguais. Il ne pouvait dire pourquoi, ou ne voulut pas le confesser. Pour la chaleur du souvenir, je préfère. Il se tenait donc à mes côtés, sous le toit arachnéen et il m'avait vu me précipiter, au plus fort de l'orage, vers un autobus du Centre de Presse, mon porte-documents en parapluie sur la tête. J'avais aisément franchi le bouchon des voitures officielles, qui obturait aux trois quarts l'esplanade. « Plus on est haut placé, moins on aime se mouiller », nota le cappucino de sa voix fragile, qui parfois se fêlait. La « Mercedes », qui s'évadait à contresens, dans l'étroit goulet laissé libre, me cueillit de plein fouet. « Vous l'avez vue, je pense, au tout dernier moment car, prenant appui de la main sur le capot, vous avez bondi et fait un soleil fantastique. » Sans doute devais-je mon sursis à cette parade, ce « raffut » instinctif de joueur de rugby. Encore impressionné par mon numéro de haute voltige avec saut périlleux, mon ange gardien se montrait formel. « Si la voiture vous avait jeté au sol et roulé sur une cinquantaine de mètres, vous ne seriez certainement plus de ce monde. Elle est passée dessous. Mais quand vous êtes retombé sur la tête, je ne m'attendais pas à vous voir aussitôt assis, après un roulé-boulé de parachutiste.

— Il m'est arrivé de sauter en parachute, à l'improviste et sans entraînement...

— Vous étiez assis, le buste renversé en arrière sur vos coudes, les yeux clos, la tête inclinée sur l'épaule droite. Vous balanciez, prêt à vous effondrer. Je vous ai parlé. Vous m'avez regardé et vous vous êtes redressé. On s'attroupait. Vous nous avez écartés d'un mouvement de brasse, comme si vous cherchiez votre respiration. Puis, l'œil fixe, vous êtes tombé dans un état de prostration inquiétant. Vous ruisseliez de sang. Nous pataugions dedans. Vous sembliez vous vider de votre vie, comme un poulet égorgé... »

A mesure qu'il parlait, je revivais mon stage dans l'aquarium, l'apparition de l'Arche, la crèche de Noël au « Clitoris » et la sensualité de la guerre à Hanoï. Allez donc vous apitoyer sur la détresse d'un moribond, quand son inconscience du présent lui offre de fouiller son passé avec une jouissance d'inassouvi. Il y a là une délicieuse mi-temps de désincarnation, où l'on réengage sa vie en changeant de camp.

L'ambulance feulait avec des soubresauts hystériques. Sa rage contraignait mon ange à hausser sans cesse le ton. Je ne pouvais me mettre au diapason et toute conversation devint impossible. Rendu à ma torture, je me souvins que la sirène avait fort contrarié Pierre Delhomeau lors de son transport à l'hôpital de Laval, l'empêchant même d'ordonner ses pensées. Sans doute étais-je moins disloqué, puisque je pouvais ravauder ma mémoire et renouer le fil des événements. Je n'avais pas attendu le final de l'interminable concours de saut en hauteur masculin pour téléphoner le pénultième chapitre de mon feuilleton quotidien. Avec ses multiples éditions, la presse de province ne transige pas en effet sur l'horaire. Je m'étais promis de refuser mon engagement solitaire au marathon des prochains Jeux Olympiques. Une décision formelle, cette fois. Il y en avait assez de repérer mon existence sur des campagnes de correspondant de guerre, des Tours de France cyclistes et des Olympiades. Dans ma mobilisation permanente de reporter, ces engagements cycliques me donnaient des complexes de réserviste, un coup de vieux. Je préférais la guérilla de l'actualité au coup par coup. Elle flattait mon expérience, sans m'infliger le privilège de l'ancienneté.

J'avais donc terminé mon papier — il me semblait le relire — sur le gag inouï de ce faux vainqueur du marathon, terroriste s'il est encore vrai que le ridicule désintègre mieux que les bombes. Je trouvais merveilleux, conte de fées à la mesure de notre époque, que la mondovision par satellite bafouât l'aristocratie du sport, un service d'ordre à l'affût et une foule béate, que son chauvinisme et sa niaiserie refoulaient aux limites de l'insupportable. Et, mot à mot, j'avais conclu : « Mais ici, où tout est calculé, réglé, computé, on a plutôt ressenti cet étonnant canular comme un affront. Nous sommes, en effet, bien loin de ces Jeux où j'aimerais que se complaise de temps en temps le monde, je veux dire le Jeux de l'Humour et du Hasard. »

Amusée, Christiane, la sténo, s'était étonnée : « Déjà terminé ? » Il faisait un temps radieux à Toulouse, et l'on attendait, au journal, le reflux massif des vacanciers. Voilà bien longtemps que je n'avais pris des congés d'arrière-saison, la plus riche en couleurs et la plus généreuse aussi en soleil. Nous nous étions fixé deux rendez-vous pour le lendemain, puisque le spectacle du cirque se terminait sur la prétendue fête du cheval, manifestation, en fait, de la vanité de l'homme qui, dans le jumping, abuse jusqu'à la cruauté d'une conquête jadis la plus belle peut-être, aujourd'hui sans doute la plus snob. Je ne sais pourquoi, à ma sortie de cabine, une hôtesse m'avait proposé un whisky. Elle m'offrait, à fleur de corsage, une poitrine si comprimée qu'elle donnait envie de la faire exploser d'un coup d'épingle, comme une baudruche. A cause de cette envie, j'avais accepté le whisky. Mais pourquoi donc m'étais-je enfui avant que d'être servi ? Je payais cher ce défi à la tentation des seins.

J'avais donc tenté de « raffûter » la « Mercedes », de jouer les écarteurs de course landaise. Et je m'étais fait prendre au niveau de la hanche droite, dont je palpais la meurtrissure. Antoine, mon bon Antoine, pas le saint qui retrouve tout, mais le païen avec qui toujours l'on se perd pour mieux se retrouver, Antoine créateur de l'automachie, ne me pardonnerait pas cette « cornada » suicide, subie par inattention et manque de domination de soi. Je m'expliquerais : « Une vieille carne de la ganaderia Mercedes... Un sursaut traître de ganache en mal d'abattoir... Et moi, comme un con, qui suis allé à la corne... Pas à la façon de Guy et d'André, car eux, les Boniface, ils avaient l'art d'en profiter pour faire aux autres un enfant dans le dos... C'est ça, le rugby, comme la corrida, un enfant dans le dos, sur une feinte de corps et un jeu de passes. » Antoine poserait lentement son verre, ajusterait sa langue au créneau de ses dents et, avec sa lippe des grands verdicts, piquerait une de ces magistrales banderilles qui restent fichées au cul des hommes et au cœur des événements. Puis, à coups de boule sur ma poitrine, sa boule de peluche aux mimiques candides de pupazzi, il me coincerait contre le bar : « Que bois-tu, encorné ? » On célébrerait mon alternative, même malheureuse, puisque j'avais pour alibis l'orage et la turbulence de l'arène olympique. On arroserait la faveur insigne de ramener les oreilles et la queue de semblable confrontation — et les surenchères d'une logomachie de plus en plus difficile, entretenue par le hasard des rencontres, déboucheraient sur les extravagances de la cuite, c'est-à-dire l'alternative de l'héroïsme et du burlesque.

L'évanouissement de la sirène et l'arrêt de l'ambulance me rendirent le blondinet. Il recoiffait sa capuce, qui lui faisait un minois de miniature. La pluie crépitait dru. Je m'inquiétai soudain de mon porte-documents L'accident l'avait volatilisé. Mon ange gardien demanda s'il renfermait de l'argent.

« Non. Des notes de travail.

— Ne vous tracassez donc pas...

— Ces Jeux n'étaient pas comme les autres. Et puis on ne retrouve jamais à point ses réactions du moment.

— Tout cela appartient au passé... »

J'eus la sensation — un frisson d'angoisse — qu'il parlait aussi pour moi. La manœuvre de la civière exaspéra mon tourment. Un énorme hameçon, ancré à la base du crâne, crissait et mordait à la moindre vibration du fil qui me retenait à la vie. Sans doute était-il précaire, car je lisais, dans les regards, cette commisération résignée qui enrobe les cas désespérés. Des rafales de pluie flagellaient la tente du poste de secours. L'éclairage vacillant donnait aux visages qui m'observaient une mouvance spectrale. On avait posé les bras de la civière sur des tréteaux. Mon ange gardien relatait l'accident à un colosse, en tenue blanche de judoka. Ses grandes oreilles décollées, d'une curieuse mobilité, trahissaient la bousculade des pensées, derrière un visage maussade et carré qui se voulait fermé. Elles se rabattirent à la prise de ma tension artérielle et l'on me mit aussitôt sous perfusion à la saignée du bras droit. Un soldat était préposé à la mission de sentinelle porte-sérum.

Après un nettoyage sommaire de mon scalp et de mes plaies, l'oreillard s'enquit de mes souffrances. J'insistai sur le mal dans ma nuque et il me fit hurler en soulevant sèchement ma tête. On me déculotta. Le sang maculait aussi mon slip. On me chatouilla la plante des pieds. On fit jouer mes chevilles et mes genoux, on me pinça les cuisses, on titilla mon sexe, on me massa, du bas-ventre au plexus solaire. Il y avait une dizaine de faces muettes, concentrées sur moi, pour cette leçon d'anatomie qui, dans la clarté diffuse de la tente, devait évoquer le tableau de Rembrandt. On me rhabilla. J'étais vraiment épinglé comme un papillon, ou ferré comme un poisson. Non je n'avais pas de fourmillements au bout des doigts, mais une tétanie de la main droite. Vous ne me croyez pas ? Merde !... Oui, vous m'emmerdez !... Soignez-moi ou laissez-moi crever, soit! Ne doutez pas... N'imaginez pas que j'affabule ou que je triche. Ce n'est vraiment pas le moment. Je m'étais mis à brailler... Sans doute des insanités, car on a le droit d'engueuler les gens quand ils font des raisonnements à vif sur la souffrance. « A l'hôpital !... Vite ! » avait ordonné le colosse. Sur le seuil de la tente, il refoula le chauffard qui tentait de forcer le passage en vociférant : « Ce n'est pas de ma faute ! » Et tandis que l'on me hissait à nouveau dans l'ambulance, suspendu au flacon de sérum que portait à bout de bras le soldat, il avait répété : « *Schnell ! Schnell !* » Je reconnus la voix du chauffard en écho : « *Schnell ! Schnell !...* »

Mon ange gardien n'était plus là. Je le réclamai en vain. L'ambulance rauquait à présent comme un steamer, dans les giclements des flaques fouaillées. Je m'efforçai de caler ma nuque dans la main gauche. Je m'en allais donc sans rien emporter, sinon un vague souvenir, de cette petite tranche de mâle, comme dirait Aristophane, qui venait d'emplir la première heure de ma nouvelle existence. Je m'en allais sans même lui avoir laissé un merci, en ignorant son nom et la chaleur de sa main. Je maudis ma négligence, et son abandon me pinça le cœur. Comment l'interpréter, assurance ou renoncement ? Jamais je n'avais accordé autant d'intérêt aux gens, aux choses, à ma personne. Je guettais les visages, j'épiais les gestes, je m'observais, je m'étudiais et j'attachais une importance inquiète aux moindres détails d'un monde devenu insolite. Je m'insérais avec méfiance en lui, en même temps que dans ma peau, car je n'étais plus tout à fait moi et il ne me paraissait pas tout à fait lui. Je visitais une sorte de Musée Grévin, où je me voyais figé dans mon passé avec un décor suranné. Antoine prétend que la possibilité de s'adonner librement à un sport délivre l'avantage non pas d'une double vie, mais d'une vie double. Je crois — en jouissant du recul nécessaire pour apprécier le phénomène — qu'un flirt poussé avec la mort assure le même privilège.

Pourquoi ai-je doucement pleuré, sans presque m'en apercevoir, sinon par la tiède coulée des larmes sur les tempes ? Ce n'était pas de douleur, du moins j'en suis convaincu, malgré la conduite brutale qui me déglinguait et me crucifiait à la fois. Je possédais déjà une certaine accoutumance à la tyrannie du mal. Ce n'était pas, davantage, par hantise d'une fin solitaire dans une ambulance pour matricules. Ce n'était pas, non plus, sur le renoncement à une existence bienheureuse, parce que farcie d'aventure, et jusqu'à ce jour trop pleine de vie, pour qu'il me soit permis de me lamenter au moment de la quitter.

Pour qui ai-je pleuré ? Je ne parvenais à accrocher aucun visage aimé. Je pense qu'il existe, dans les moments extrêmes, une insensibilité d'âme salutaire, qui dispense de l'intolérable affliction des ruptures impossibles. Je n'ai même pas songé à ma mère. « Mélo », dit-on volontiers de cette ultime reconnaissance du ventre dont on est sorti. Mélo pour ceux qui n'ont pas entendu, sur une portée de barbelés, le lamento nocturne d'un para étripé. Ni vu deux copains tués sur le parapet de la cagna en sortant le chercher. C'était à Dien-Bien-Phu, sur le glacis d' « Isabelle ». Moi, quand j'ai songé à ma mère, plus tard, ce fut pour concevoir que ma mort aurait aussitôt entraîné la sienne.

Alors, pour qui, pour quoi ? Sans doute ai-je inconsciemment pleuré sur la fuite de celui que je ne serais plus, au grand jamais...

Il semble que, dans tous les pays où règne la civilisation des loisirs, on ait omis, jusqu'à présent, de pallier, durant les week-ends, la carence de la médecine en général et des hôpitaux en particulier. Sans doute parviendra-t-on, dans un proche avenir, à mettre sur ordinateur la maladie, le crime, l'accident, le suicide, la mort en un mot, afin de la discipliner, elle aussi, aux quarante heures et de concentrer son activité sur les jours ouvrables. Par la même occasion, la codification du fait divers facilitera la tâche de la presse, déjà encline à standardiser l'événement au point d'ôter, bientôt, tout caractère au métier le plus original du monde.

Pour une meilleure compréhension, je dois anticiper sur le récit afin de préciser, sans délai, que mon hôpital était un établissement militaire, pour un temps cédé aux civils afin de parer aux effets du maelström olympique. Son personnel appartenait au cadre de réserve et portait l'uniforme. Le rappel à l'armée qui, depuis près de trois semaines, le privait de sa clientèle normale et dérangeait sa vie privée, ne faisait donc pas son affaire. Je devais d'autant plus en pâtir que mon hospitalisation survint au moment où les pékins s'apprêtaient à fêter la quille et les troufions à récupérer leur bien. Il en résulta une de ces situations hybrides, où chacun joue les cocus et se refuse à reconnaître son enfant.

La porte à deux battants de l'ambulance s'était ouverte, toute grande, en marge du porche et le vent rabattait à l'intérieur des bourrasques de pluie. Après un moment de perplexité, le chauffeur et son compagnon décrétèrent qu'il fallait du renfort. Ils s'en allèrent à grands bonds, comme des kangourous, le dos rond sous les rafales. Le porte-flacon les soupçonna d'hésiter sur la destination, ce qui expliquait notre mouillage à l'écart. La pluie fustigeait mon visage. Elle me faisait du bien. Elle lavait mes yeux brillants et emportait mes larmes. Puisque le rideau se relevait sur moi, pour un rappel en scène, dans un rôle de grand blessé, autant l'assumer sans faiblesse ni récrimination, surtout quand cette première avait pour théâtre l'étranger.

Mon aide-soignant s'impatientait et traitait ses camarades de « têtes de porc ». N'y tenant plus, il saisit ma main gauche, la hissa au plus haut, y colla le flacon de sérum, m'intima l'ordre de ne pas bouger et, plongeant au-dehors, s'en fut à son tour, en barattant bruyamment la boue. Plus amusé que surpris, je m'abîmai dans la contemplation de cet élixir de survie qui gouttait en moi et j'en vins à me délecter d'une situation extravagante, qui échappait à l'entendement commun. Qui donc, en cette nuit dominicale, ici à son dîner, ailleurs à son déjeuner ou, tout là-bas à ses matines, pouvait imaginer un blessé seul au fond d'une ambulance abandonnée, ouverte à pleine pluie et assurant sur lui-même le cours d'une perfusion ? Et une telle situation au sein de la ville qui venait de mobiliser, à plusieurs titres, l'attention du monde, cité considérable de l'une des nations les mieux réputées pour la rigueur de son organisation. Ce n'était pas un drame, mais un gag, une de ces bouffonneries que l'on croit parce qu'elles ne peuvent s'inventer. Immobile, les yeux clos sous la violence des embruns, je subissais une bizarre illusion de bien-être, hors de la douleur et du temps, qui m'engourdissait.

Je n'avais pas entendu revenir le porte-flacon. Il s'était engouffré d'un saut dans l'ambulance, y provoquant un séisme.

« La télévision donnait le résumé de la journée d'athlétisme », dit l'innocent, en reprenant sa fonction.

L'envie de rire me fit grimacer. Dans les casernes, on bandait comme partout, pour Heide Rosendhal, prima donna du stade qui, par trois fois, avait soulevé les chœurs triomphants de l'Allemagne. Je ne pouvais en vouloir au porteur de sérum ni aux quatre brancardiers qui me trimbalèrent, au pas de charge, tout au fond d'un interminable couloir. Si nous avions croisé Heide, ils m'auraient laissé choir. Fascinés par elle, ils l'évoquaient à l'envi, avec une surcharge de superlatifs. Je n'existais plus pour eux.

Dans ce cul-de-sac, ils firent machinalement, sur leur lancée, le tour d'une pièce vétuste au carrelage douteux. Je passai ainsi en revue un petit évier fortement ébréché, que surmontait un miroir craquelé, un autoclave mangé de rouille et rapiécé, un attirail chirurgical sommaire épars sur les rayons d'une armoire aux vitres louches et, en plein centre, une table à tout faire, dont un scialytique soulignait crûment les souillures. On m'y déposa, sur l'ordre d'un jeune infirmier qui se sanglait dans une blouse blanche. Et le bon gros survint, à point nommé, pour recueillir le flacon des mains du soldat pressé de s'éclipser.

« C'est la fatalité ! » me dit-il, presque au bouche à bouche.

La fatalité implique un certain *mea culpa*. Et son haleine

fétide confirmait qu'il avait l'accident sur l'estomac. Il pressait de questions l'infirmier qui désinfectait mes blessures, lavait le scalp, élaguait la chevelure à grands coups de ciseaux et libérait au rasoir les lèvres de mes plaies. Le leitmotiv tombait, atone et morne :

« Le chirurgien va arriver. Lui seul peut se prononcer. »

Le mutisme de cet infirmier solennel, qui faisait mystère de son ignorance, m'incita à sourire, un sourire que j'offris à mon chauffard bon enfant. Il le reçut comme une absolution et, larmoyant, reniflant à la façon d'un boxer que l'on vient de flatter, fit des grâces le long de la table d'opération.

Casquette altière, botte impérieuse, très dandin d'allure selon Chateaubriand, le chirurgien, sanglé dans un uniforme gris bleu frappé d'une certaine fantaisie, surgit avec l'aplomb d'un conquérant. Il avait cet âge souverain où tout s'enchaîne sur un physique avantageux, la sûreté tranquille d'une précoce expérience et l'audace effrontée des conquêtes faciles. Le galon n'ajoutait rien à son autorité. L'infirmier se précipita pour cueillir, presque au vol, la casquette et les gants. Le cheveu noir, légèrement ondulé, une touche d'argent aux tempes, encadrait, avec une parfaite symétrie, un visage à la Robert Taylor, trop régulier même pour être vraiment beau. Mais, dosant les hardiesses du mâle et les artifices du séducteur, il en jouait avec un certain brio. De plus, l'œil était pers ; il le fixa, très froid, sur moi, en dénouant sa cravate. Sans se détourner il quitta sa veste, assisté de l'infirmier-valet-de-pied, retroussa lentement ses bras de chemise et hocha la tête en silence, de droite à gauche et de gauche à droite.

« C'est fichu ? » s'écria mon lourdaud de chauffard. Le chirurgien parut le découvrir. Il y eut un échange, bref et percutant, où l'un s'efforçait de justifier sa présence quand l'autre la proscrivait.

« Que voulez-vous faire ici, puisqu'il n'y a plus de sérum ? » L'évidence assomma le bon gros, stupide, qui louchait sur le flacon vide. Depuis combien de temps ma perfusion était-elle du vent ? Le chirurgien piétinait, emporté dans un féroce réquisitoire contre le culot de ceux-qui-s'occupent-de-ce-qui-ne-les-concerne-pas et la négligence de ceux qui font l'inverse. Il mit fin à l'incident d'un haussement d'épaules désabusé et gagna le lavabo. Tandis qu'il se lavait les mains et se brossait les ongles en inspectant sa dentition dans le miroir, l'infirmier, véhément, tentait de se racheter en expulsant mon chauffard.

Je garde de lui l'ultime vision d'une main boudinée, dispensant ses adieux dans l'entrebâillement de la porte. Je ne devais plus le revoir et j'ignore toujours son nom. Car mon accident ne motiva pas d'enquête, « l'orage diluvien — selon un rapport officiel — ayant empêché la police d'intervenir ». Quant à celle qui fut ouverte plus tard, à ma requête, elle admit l'authenticité des faits et la responsabilité d'un véhicule officiel mais, au bout de seize mois, le procureur fédéral de Munich la suspendit, sous prétexte que les pilotes de ces voitures étaient des militaires inconnus. Je n'invente rien. Et la révélation, par la Justice en personne, de cette Bundeswehr fantôme, puis les diagnostics d'experts médicaux allemands niant, jusqu'à l'évidence, mes blessures, m'amènent à me demander si les séquelles de quelque traumatisme crânien, subi au cours de mon existence aventureuse, ne m'inspirent pas cette affabulation que je vous inflige. Car selon une tradition bien établie, nul ne saurait douter d'une trinité — police, médecine, armée — qui a fait ses preuves en Germanie.

Pourtant il s'était bien penché sur moi pour officier, le chirurgien sans blouse ni toque ni tablier, à la manière de ces maîtres de cuisine de grand snobisme, sinon d'honnête talent qui, devant leurs fourneaux, pelotent la queue de la poêle en costume de ville. Il m'avait prévenu, sans commentaire ni regret, qu'il ne pouvait m'anesthésier et allait donc opérer à vif :

« Vous lèverez la main gauche si je vous fais trop mal. »

A tout hasard, je lui signalai que j'étais « A.B. positif ». Il s'en moquait car l'hôpital ne possédait pas de réserve de sang.

« Normalement, ici, on n'opère pas... »

Non, je n'invente pas et j'entends aussi les vibrations métalliques de l'outillage chirurgical, que l'infirmier amenait sur une table roulante. Je sais encore, pour l'avoir vérifié lorsqu'il contrôla mon pouls, qu'il allait être neuf heures et quart à sa montre-bracelet. Entre le choc et l'hôpital, quatre-vingt-cinq bonnes minutes s'étaient donc écoulées. Je me souviens même d'une pensée, idiote : j'avais franchi le cap de cette dernière heure que, dans sa course contre le temps, me fixait la Mercedes. Je faisais déjà du rabiot et je commençais à subodorer le fumet de cette vie double que je savoure aujourd'hui. Ma mémoire, à nouveau pucelle, garde les traces de son viol par ces premières agressions de la réalité.

Quand on me dépiauta de mon polo, ce fut comme si l'on écorchait un lapin. Et je crus que la tête allait suivre. Le chirurgien commença par la pomme d'Adam. Elle avait éclaté, un vrai fruit blet, mais c'était plus spectaculaire que méchant. Puis il inspecta mon crâne et, devant l'ampleur des dégâts, le seringua localement d'anesthésique. Ganté de fin caoutchouc rose, il pianotait sur mes plaies pour en éprouver l'insensibilisation.

« Un crâne, dit-il pour lui-même ou, peut-être, à l'intention de l'infirmier, c'est comme un pare-brise de voiture. Ça résiste à des coups démesurés ou ça pète en miettes sur une chiquenaude. »

La dépression d'une sorte de fontanelle l'intrigua. Une main sous l'occiput, l'autre sur le front, il tenta de la résorber par pression, comme on regonfle une balle emboutie de ping-pong. Mon rugissement lui fit lâcher prise. La douleur m'avait coupé le souffle, mais je me sentais honteux de n'avoir pu la dominer. Haletant, je me justifiai d'un trait :

« Mon mal est là, docteur, au creux de la nuque. »

Il avait froncé les sourcils, plissé son nez, puis souri à mes images de poisson ferré ou de papillon épinglé. Je lui confirmai mon impuissance à faire jouer ma tête.

« Comme un gros torticolis ?

— Plus que ça, docteur... »

Il souleva mon scalp avec une pince et en uniformisa le décollement. Il picorait la peau à la pointe de menus ciseaux. Elle cédait sous ces petits coups de bec et semblait s'étirer comme une pâte feuilletée. Le cuir chevelu ayant par endroits éclaté, il estimait nécessaire d'agrandir la déchirure afin d'en mieux assurer le rapiéçage.

« Pardonnez ma lenteur, j'essaie de limiter les manques. »

Le bec des ciseaux ne m'importunait pas. J'entendais craqueter la peau. La curette qui grattait l'os ne me tracassait pas davantage. Son crissement avait l'écho pénétrant de charançons obstinés taraudant ma tête. Après avoir rajusté la peau, qu'il lissa avec la paume de sa main, le chirurgien entreprit de recoudre. Je dénombrai vingt-huit points de suture. Tandis que l'infirmier arrimait lourdement, au sparadrap, une compresse sur ma vaste tonsure, il tâta mon cou en m'incitant en vain à m'asseoir seul, jambes ballantes, sur le bord de la table d'opération. Je ne parvenais pas à soulever ma tête, sinon avec le soutien des mains et la souffrance qui brisait aussitôt mon élan me rabattait sur la table. Mais le chirurgien tenait à l'expérience. Je la réussis enfin, au tout pour le tout, dans un éblouissement.

En recouvrant ma vue, je récupérai mon image. C'était donc moi, dans le miroir du lavabo, qui me regardais prisonnier de la résille des craquelures. Mon crâne donnait vraiment de la bande, sur l'épaule droite, et le pansement ressemblait à un chignon de sikh. Ah ! ça alors ! Quelle binette, avec mes marbrures de sang caillé qui me faisaient aussi un buste en griotte! Je me découvrais tel que je ne m'étais jamais vu, image de décalcomanie haute en couleur, plaquée sur une glace et qui, par je ne sais quel sortilège, s'animait en me mimant. Pierre Delhomeau, lui, n'avait pas vécu, après son accident, cette confrontation dans un miroir. Mieux vaut, car c'eût été un face à face avec la mort, puisqu'il ne s'était jamais senti un autre. Il ressassait son passé, avec son inéluctable lot de regrets et de remords. J'imagine qu'il en va ainsi dans les ultimes remous de l'existence quand, après le naufrage, il ne reste plus, du bonheur, que des épaves qui battent les écueils où il est venu sombrer. Mais lorsque, après la rencontre de la mort, on transmigre dans son propre corps, en prenant peu à peu conscience de la métamorphose, si l'on ne se voit plus avec les mêmes yeux jusqu'à se chercher, alors ce regard signifie que l'on vient de passer un nouveau bail avec la vie. Et c'est bon, quand la gueule de raie vous a frôlé, de se regarder en étranger sur une table d'opération, parcouru d'un indicible frisson, celui de la vie à refaire.

Mon chirurgien-don Juan profitait de cette reconnaissance de moi-même pour tester, à son tour, les réflexes de mes membres :

« Pouvez-vous essayer de marcher? »

Assisté de l'infirmier, il me déposa à terre. Cette reprise de contact m'ébranla jusqu'à la couture de ma tête. Cramponné à la table, j'avais l'impression de flotter, en état d'apesanteur, dans une nacelle agitée d'un lent mouvement rotatoire. Tout roulait et tanguait autour de moi avec une mollesse débilitante. L'estomac chaviré, prêt à vomir, je fus secoué de spasmes d'autant plus noués qu'il était vide. A chacun d'eux mon crâne instable menaçait de se décrocher. Aux limites de la résistance, je me résignais à rouler à terre avec lui. Des sueurs froides moitaient mon front et mes tempes. Elles suintaient aussi sur ma poitrine. J'étouffais et grelottais à la fois. Sadique, ma lucidité, loin de m'abandonner, s'obstinait dans cette vivisection de moi-même et la délectation de ma souffrance. Je veux croire que la pleine conscience de ces épreuves était la rançon nécessaire à mon retour sur terre. Je ne sais si, par elles, un homme se juge. Mais à travers elles et leur souvenir j'ai solidement assis un mépris libérateur pour les mesquineries de la vie et ceux qui les cultivent. Cet affranchissement, qui contribue tant à remodeler son homme, vaut bien la peine d'être conquis dans la douleur.

Venus de très loin, les encouragements du chirurgien, qui frictionnait mon dos, allaient se précisant. Le manège freinait, s'arrêtait, le décor se remettait en place. Je repris possession de mon image dans la glace. Une réconfortante chaleur m'inondait et me restituait une certaine assurance. Il fallait donc que je marche. Je lâchai la table et, après un bref piétinement pour affermir mes jambes, fonçai sur le lavabo, avec la témérité aveugle d'un bébé à son premier essor. De là je fis le tour de la salle, comme au jeu des quatre coins, maîtrisant progressivement mon allure en fonction de mon équilibre. Et je revins accoster, au ralenti, sans tituber, entre le chirurgien et l'infirmier.

Je grimaçais : « Chaque pas enfonce davantage le clou dans ma tête. Comme elle m'échappe sans cesse et bringuebale, ça devient vite insupportable.

— A ce que l'on m'a raconté, vous avez une chance incroyable, souligna le chirurgien. Car vous vous tirez, avec des blessures superficielles, d'un choc et d'une cabriole qui pouvaient être mortels. »

Il plaisanta, pour me distraire de mon tourment :

« Peut-être détenez-vous, à votre insu, le record du monde du saut en hauteur. »

Mon « Fosbury flop » involontaire, à la renverse par-dessus une Mercedes, supposait évidemment une envolée assez prodigieuse, du style de celle d'Ulricke Meyffarth, sacrée, à seize ans, plus jeune championne olympique de tous les temps. C'est là qu'il voulait en venir, car ce triomphe allemand était un peu le sien :

« Je connais depuis toujours Ulricke. Je l'ai vue naître. Enfant, elle adorait déjà sauter... Sur mes genoux. » Il appuya son effet d'une œillade équivoque qui trahissait son habitude des sauteuses.

Bien qu'il soit redoutable de paraître inspirer un médecin, je me hasardai à suggérer l'éventuelle utilité d'une radiographie de la nuque. Le chirurgien balança un instant, puis y consentit avec une moue sceptique :

« Si ça peut vous permettre de dormir tranquille! »

L'infirmier jeta sur mes épaules nues mon blouson barbouillé de sang et m'offrit son bras. D'un pas appliqué, j'ai ainsi remonté la rampe du couloir sans fin. Il était peint en vert et jalonné de veilleuses bleutées. Nous avancions pesamment dans cette atmosphère trouble, comme des plongeurs sur un fond sous-marin. Au-delà du vestibule d'entrée, il basculait, veiné de câbles et de conduits, comme un souterrain de métro. Fuites ou condensations, il dégouttait çà et là au gré de la pente et ces pizzicati mats ou mouillés composaient, dans le silence, un accompagnement plutôt lugubre à notre marche muette. L'infirmier la guidait à petits pas, afin d'éviter toute glissade sur le dallage gras de cette sentine de ponton délabré. Nous avions surpris le planton du service de radiographie dans la contemplation d'une scène d'adoration phallique : deux filles nues à quatre pattes. Apparemment pointilleux sur la réputation de la Bundeswehr, il confisqua la revue pornographique. Et dans son sermon moralisateur à l'intention de ce « cochon de Muller », il me livra la seule identité que je possède de cette armée de soldats inconnus, dont je fus la victime et le prisonnier.

La salle de radiographie était aussi sommaire et vétuste que la salle d'opération. Expédiés, une demi-douzaine de clichés, face, dos et profil. On m'oublia sur le tabouret balayé par un vent coulis frisquet, qui filtrait d'un vasistas borgne. « *Was ist das ?* » Qu'est-ce que c'est ? Le radiologue s'étonnait de me voir, transi, au seuil de son cagibi. Il épluchait, en compagnie de l'infirmier, l'album iconographique saisi sur le planton. Je mendiai le verdict des rayons. Je reçus l'aumône d'un « *gut* », et me fis aussitôt rabrouer, car je n'avais pas le droit de me plaindre. Sur le chemin du retour, l'infirmier, qui ramenait les radios, m'accorda des circonstances atténuantes. Je ne connaissais pas ma chance. Encore impressionné par cette ignorance, je guettai le chirurgien, mirant les clichés dans le halo du scialytique, et les abattant, satisfait, comme autant d'atouts :

« Non, vous ne l'avez pas, votre fracture de la colonne cervicale ! » ricana-t-il.

C'était tant pis pour moi. Puni pour mon inclination à un certain masochisme. Je subissais donc l'humiliation d'un banal torticolis. Je n'avais plus qu'à solliciter le pardon de mes doutes. Le chirurgien témoigna d'une magnanimité condescendante :

« Je vous l'avais bien dit... Bien sûr, vous pouviez vous casser le cou... Mort sur place ou paralysé... Mais en vous pressant de marcher, je savais fort bien que j'allais relancer la mécanique. Chaque malade ou blessé porte sur lui l'auréole du martyr. Et il est déçu de ne pas souffrir du mal qu'il imaginait. »

La confusion le disputait à la gratitude. Tenir sur ses pattes, deux heures après une épreuve de force avec une Mercedes, c'était l'irréfutable preuve de la solidité de ma carcasse.

« Finissons-en, poursuivit le chirurgien. Je vais vous fabriquer une tête de Turc, avec un fort bandage de coton, pour bloquer votre cou. Il n'y a rien de tel que la chaleur pour soulager un torticolis. En outre le soutien de votre crâne atténuera les mouvements trop douloureux. »

Toutes ces manipulations n'allèrent pas sans mal, toujours le même, exact, précis, barbare. Mais je n'osais le trahir, puisque cette bienheureuse souffrance était à la mesure d'une chance inestimable. Quelle veine, en effet, que d'en arriver à jauger la relativité de la douleur ! Non content de me momifier, le chirurgien s'avisa de me passer en force une sorte de cagoule élastique, destinée à fixer mes pansements. Là, je ne pus m'empêcher de gueuler. Il s'était indigné :

« A présent que vous savez ne rien avoir, vous n'allez pas jouer la comédie !... »

Je vous le dis qu'un accidenté est toujours un suspect, sinon un coupable ! Surtout lorsqu'il retombe dans le domaine des expertises administratives. On y rencontre, subitement obsédés par la tricherie, certains praticiens réputés pour la délivrance facile de certificats de maladie rituels, pour cause de pêche à la ligne, d'ouverture de la chasse, de fêtes de Noël ou de Pâques. Et l'on voit des docteurs Tant Pis, experts en dramaturgie dans l'entretien prolongé de leurs malades, se muer en Tant Mieux, jusqu'à contester les séquelles les plus évidentes de vos lésions.

D'un ciseau alerte, mon chirurgien fignolait son modelage. Il libéra les oreilles, agrandit la lunette du visage, élagua les effilochures. Il prenait du recul, appréciait sa coupe avec des airs de couturier et, après une ultime retouche, s'effaça dans une virevolte, pour me livrer au miroir.

« On dirait un terroriste palestinien », dis-je spontanément.

Un ange passa. L'anesthésie locale du crâne se dissipait et des picotements désagréables agaçaient mon cuir chevelu. J'avais envie de me gratter. Le chirurgien me tapa sur les doigts :

« Vous les avez vus ?

— Oui.

— On a pourtant assuré qu'aucun journaliste ne se trouvait sur place.

— Nous nous comptions sur une main dans les parages. »

Il esquissa une moue incrédule. Je lui désignai diverses ecchymoses aux bras, aux épaules, et ma pommette droite encore tuméfiée :

« Ça, ce n'est pas l'accident, mais la police. »

Et, sur l'effet de surprise, j'enchaînai mon récit : le footing matinal, l'entrée clandestine au Village à la faveur de la panique, la matinée tapi dans le sous-sol de l'immeuble des Allemands de l'Est, face au 31 Connollystrasse, les palabres avec les Palestiniens, les fugaces apparitions des otages israéliens dans le frémissement d'un rideau, l'irruption d'un commando de tireurs d'élite :

« Ils me prirent d'abord pour un terroriste... Mon teint brun. Peut-être aussi mon bonnet de sudation, du genre passe-montagne... »

... La capture, toutes les armes braquées sur moi, la fouille jusqu'au trou de balle, la révélation de mon macaron de journaliste, l'interrogatoire survolté, la raclée appuyée...

« Je n'étais plus un prisonnier, une conquête, mais un défi, un affront. Le pire, pour une police, et en tous pays, c'est son cocuage par la presse... Tout le monde le sait aussitôt et se gausse... Alors ça fait du bruit, chez les flics et en dehors. Voilà pourquoi la chasse au journaliste demeure partout, et toujours, ouverte. »

... La comparution devant un gradé qui avait d'autres chats à fouetter, l'expulsion *manu militari* et pied au cul, les têtes chercheuses des micros affamées de sensationnel...

« Je ne me plains pas... C'est la règle du jeu... Quand on bafoue un système établi, surtout le mieux en place, il faut savoir accepter le retour de bâton. »

— Tant de morts... Dix-sept... Onze Juifs, cinq Palestiniens, un Allemand... Cette affaire a tout fichu par terre », soupira le chirurgien.

Ce « tout », c'était le grand pari de purification de l'Allemagne à la flamme des Jeux.

« Vous connaissez Israël... Jérusalem ?

— Oui... Les Arabes appellent poétiquement Jésuralem “ un vase d'or rempli de scorpions... ”. »

Le village olympique, avec ses religions, ses chapelles, ses fanatismes, ses querelles politiques, son racisme en tous sens, ses nationalismes exacerbés, c'était un peu ça... Le chirurgien n'approuvait pas les Palestiniens, mais posait le problème de leur désespérance.

« Il fut aussi celui des Juifs. »

Il n'insista pas.

« Il est encore celui des Kurdes. »

Il ne connaissait pas.

« Un peuple authentique, d'une quinzaine de millions d'âmes, au territoire partagé, voilà un demi-siècle, pour cause de pétrole, persécuté en Turquie et en Syrie, traqué jusqu'au génocide en Irak, contrôlé en Iran et absorbé en Russie. Le monde ignore, ou feint de ne pas savoir.

— Des Arabes ?

— Non, sinon ça se saurait depuis longtemps. Des Aryens, ceux que l'on appelait jadis les Mèdes. Les Rois Mages sont issus de chez eux. Chez eux s'échoua l'Arche de Noé... Faut-il donc qu'ils se mettent à perpétrer des attentats, détourner des avions, emmener des otages, pour affirmer leur existence ? »

Un ange repassa. Peut-être un milicien, comme disent les Russes. L'infirmier, à qui le droit des peuples à disposer d'eux-mêmes ne donnait pas le tracassin, s'aventura dans le silence pour annoncer l'approche de minuit. Il écopa en retour d'une menace de sanction, fondée sur le principe que l'on doit ignorer l'heure dans le service de santé. Mais le chirurgien en profita pour rompre le débat.

« Vous voyez bien que tout va pour le mieux, dit-il. Si peu de temps après votre accident, vous tenez une conférence du haut de votre table d'opération... Que vous faut-il de plus ?

— Je peux donc rejoindre le Centre de Presse... »

Il gloussa : « Pas si vite... Vous resterez ici en observation pendant deux jours. Avec un choc pareil il peut encore y avoir des contrecoups... »

Sidéré, je comprenais mal. Où était le vrai ? Je ne pensais presque plus à mes lésions et voilà qu'on me remettait en litige avec la vie. Tous ces apaisements, c'était donc du bidon. Je savais bien. Comme tous les malades ou blessés profonds, je risquais toujours de dérailler sur la voie de la guérison. Je l'avais déjà compris avec le capucin blondinet et sa bénédiction. Il fallait donc recommencer à débattre avec soi-même, supputer l'intensité de la douleur, son empire, ses rémissions, épier les réflexes, maîtriser les pensées. Qu'en était-il, de cette chance fameuse dont on m'accablait presque ? Une indécence, après tout, d'avoir échappé, sur-le-champ, à la logique des choses. Je bousculais ainsi celle de la médecine. Et, l'entendement s'en trouvant désarmé, il fallait donc envisager l'issue normale en différé. Gêné par mon désarroi, le chirurgien s'enferra :

« En principe, tout doit bien se passer. Mais on ne sait jamais. Comment allez-vous récupérer ?

— Récupérer quoi ? »

Il leva les bras au ciel, interloqué :

« La tête, monsieur... La tête.. On ne tombe jamais dessus impunément. »

Elle me faisait assez souffrir pour que je ne l'oublie pas. Or, si je l'avais un moment perdue, je la sentais à présent bien à moi. Et même mieux qu'avant. Elle m'appartenait deux fois. Je possédais, exactement emboîtées, ma tête du passé et l'autre, meurtrie, violacée, un peu déformée, mais

l'article définitif en sachant que je ne le rédigerais jamais. Et cette rage d'écrire rentrée me faisait presque oublier ma situation difficile. J'avais l'impression de passer à côté du meilleur papier de ma carrière. La déception de laisser échapper ma vision d'un événement exceptionnel, que je ne revivrais plus, me torturait, sur le coup, plus fort que mes blessures.

La fuite d'air humide et froid qui chuintait au bas de la fenêtre, entre les vantaux de guingois, me glaçait. Je me souviens de son effet. Je me figeai dans un état cauchemardeux, accepté avec une complaisance qui m'étonne encore. Cette conclusion sous forme d'oraison funèbre prenait une valeur prémonitoire. Elle signifiait aussi la fin de ma carrière sur un reportage inachevé, ce qui était, somme toute, une manière assez spectaculaire de quitter la scène. Il y aurait un communiqué, une citation à l'ordre de l'information, peut-être une inscription « tombé au champ d'honneur du journalisme ». Il s'en dirait des tas de choses sur moi, et des plus belles, même par ceux qui penseraient plutôt « Bon débarras ! ». L'ennui c'est que personne, jamais, ne connaîtrait l'originalité de mon dernier papier. Car cette idée de l'incinération, avec la dispersion, aux vents de l'oubli, des cendres encombrantes de tous les sacrifiés, et le reniement, sur un gril d'argent, de la vertu cardinale du sport, j'étais sûr qu'elle m'était propre. Puisqu'il faut en finir un jour, autant s'en aller, comme on dit, en beauté, et laisser un vide parfumé de regrets, plutôt qu'un soulagement avec relent de pitié. De toute façon ça ne dure pas longtemps. Personne n'est plus oublieux qu'un lecteur, et il en va des journalistes comme des événements. L'un chasse l'autre, et vice versa. Je m'imaginais naguère que, par la sorcellerie de la télévision, mes confrères du petit écran échappaient à la désillusion de cette ingratitude. L'exemple prouve qu'elle y est plus cruelle encore, et qu'en tout et partout la pire des condamnations demeure celle de l'absence. Beaucoup le savent.

Mais je n'avais pas réglé chez moi les modalités de la mienne. Nul ne connaissait le choix que j'avais fait de l'incinération. La mise en ordre du caveau familial, à l'occasion d'un deuil récent, l'avait déterminé. Ces déplacements de cercueils, plus ou moins disloqués, même celui de mon père, réputé blindé et qui fuyait de tous côtés, me barbouillèrent l'esprit et le cœur. On a beau savoir, on ne supporte pas la déliquescence de son père. Pourquoi donc infliger soi-même l'atroce réalité de semblable spectacle, qui ramène plus cruellement le souvenir ? D'ailleurs, seule restait, dans le caveau, la place de ma mère ; son premier souci avait été, à la minute même de la séparation, de la réserver pour elle aux côtés de mon père. Ceux qui cultivent l'idée de la mort le plus souvent n'en parlent à personne. Ce n'était pas mon cas. Cependant, ma famille allait me prendre en charge dans l'ignorance totale d'une de ces volontés de circonstance, que l'on baptise dernières, comme si l'on pouvait spéculer sur un règlement de comptes final avec la vie. Si mon bon gros chauffard m'avait prévenu en prenant son volant — « la fatalité exige que je vienne, dans un quart d'heure, vous bousiller » —, alors, je me serais préparé, afin d'éviter une scène de ménage : « Toujours le même ! Il passait sa vie en dehors de la maison et ne s'occupait jamais de rien ! » Faut-il encore avoir le temps de penser à un testament ! J'ai idée que ça ne doit pas se faire à froid. Il doit conserver le caractère sensationnel d'une dernière minute.

Bref, je ratais ma sortie, professionnelle et privée, et de la même façon, par la double faute d'un article et d'un testament rentrés. J'ai toujours déploré, chez moi, que l'on y parlât trop ou pas assez, jamais raisonnablement. La cause en est, ma foi, qu'en de brèves rencontres, chacun s'empresse de placer son mot, suit sa pensée, et n'écoute pas le voisin. Maintenant que je suis passé par où je vous entraîne, avec les sentiments que je vous dis, rien n'a changé. On a pris pour une extravagance — « une de plus ! » — ma décision d'un sème-à-tout-vent ou, à défaut, de nicher dans un columbarium. Pourtant, au cours de cette nuit où, contre nature, je me résignais à crever sans témoin, avec une soumission presque animale, entre un voisin qui ronflait et un infirmier qui s'en foutait, je l'avais même griffonnée sur un billet de Loterie Nationale. Je m'étais dit : « En faisant mes poches, quelqu'un vérifiera le résultat. On ne gaspille pas une chance de fortune. Ce serait si drôle de laisser le gros lot ! Quel beau titre de fait divers : " Le mort joue et gagne. Avant de disparaître il écrit son testament sur le billet gagnant. " » Une tranche spéciale avec les signes du Zodiaque. Ce numéro 68.368, « Verseau », comme moi, était remboursable. Je ne l'ai pas échangé. Il atteste que la vie est bien une loterie où, malgré l'énormité de ses mises, la mort connaît, elle aussi, quelques déboires.

Le froid de la nuit qui chavirait m'avait ranimé. Je grelottais. Si la honte de ma démission échauffait mes joues sous la cagoule, j'étais saisi comme si je venais de réchapper à un danger plus redoutable que l'accident lui-même, l'abdication de ma volonté. L'analyse du phénomène me stimula. Il résultait de la fatigue, puisque j'étais debout depuis une vingtaine d'heures, de la faiblesse, avec le gaspillage de mon sang sur la route, d'un relâchement nerveux dû au choc, et de cette souffrance qui me lancinait sans répit. Je dérivais au creux de la vague. Le repos et le sommeil s'imposaient si je voulais refaire surface. Au prix de contorsions clownesques, jusqu'à la prosternation sur un carrelage poisseux, qui me clouaient, me déchiraient, me vrillaient, je parvins à me dévêtir complètement, à enfiler la chemise de nuit, et à placer le suppositoire. Enfin, soutenant ma nuque à deux mains, je basculai sur le dos et m'enroulai dans la courtepointe houssée d'un drap blanc, comme on en trouve sur les lits à l'allemande.

Cette première nuit de mon retour sur terre, je l'accaparai pour la faire mienne et la posséder dans ses infimes pulsations. Je m'incrustai ainsi en elle, les sens en éveil, de crainte qu'elle ne m'abusât à la moindre défaillance et me refusât le jour. J'éprouvais, à mon tour, ces angoisses de Franco que l'on raillait, lors des trêves inquiètes de nos nuits d'Hanoï. Sans montre, je m'insérai dans le mécanisme du temps, comme si je voulais le contrôler par le compte fastidieux des secondes. Trois mille six cents à l'heure, c'est interminable. Enfin, aux alentours des dix mille — les flatulences de mon voisin déréglant parfois la rigueur de ma comptabilité —, je vis s'amorcer, dans les palpitations du rideau, la lente dilution de la nuit. La pluie avait cessé sur une sarabande enragée du vent. Longtemps indécise, une aube plombée annonçait la tristesse d'une journée d'adieux, sombre comme une cérémonie funèbre. Le mauvais pas du potronminet franchi, je n'avais plus qu'à attendre le cycle des visites, qui n'allait pas manquer de me distraire. A mesure que s'atténuait mon anxiété, mon mal s'affirmait pour la relancer. Je me sentais plus endolori que la veille et l'immobilité m'avait ankylosé. La jambe gauche me paraissait soudain énorme. Elle pesait un quintal. Je la découvris toute violacée, surtout le mollet. La « Mercedes » m'avait heurté au flanc droit. Inutile de chercher à comprendre. J'éprouvais des picotements au bout des doigts : n'était-ce pas d'eux que l'on se préoccupait tant ? Je me raisonnai. Rien de sérieux puisque les radiographies ne dévoilaient aucun dégât interne. Un engourdissement en contrecoup sans doute. On est toujours plus meurtri le lendemain. Cependant il y avait dans la nuque, plus sensible que jamais, ce croc qui, à tout propos, fouaillait. Je me durcis pour ne céder ni à la mélancolie ni à une divagation morbide. Et, peu à peu, la lassitude prit le dessus...

La porte sauta sous une poussée cavalière. Dans l'éclat brutal de la lumière, une infirmière prenait d'assaut la cellule. Elle effaça d'un trait le rideau et pondit au passage, sur ma table de nuit, un thermomètre avec un suppositoire. Je repoussai du pied la courtepointe et lui livrai mes fesses. Elle esquissa une retraite pincée de mijaurée. Je l'arrêtai sur le seuil :

« Je suis coincé. »

Elle suça son index pour m'inciter à prendre la température dans la bouche. Les lèvres en cul de poule, je fis mine d'y glisser le suppositoire. Elle sortit en clabaudant sur « ces loustics de Français », attendit que j'opère à ma guise et revint peu après, avec une serviette kaki et une savonnette rose.

« Les cabinets, les douches et les lavabos sont au bout du couloir à gauche. »

Grande, robuste, elle était le portrait blond de la Kurde soviétique Faina Melnik, championne olympique de lancement du disque. Elle avait un visage rond, le teint fleuri, la lèvre juteuse sans cesse astiquée par un bout de langue alerte, l'œil lutin et une voix grêle qui détonnait avec sa corpulence. Un calot canaille biaisait sur le flot de sa chevelure, ajoutant ainsi à son air badin. Elle se chiffonna une moue pudibonde pour passer sa main sous ma chemise de nuit et retirer le thermomètre, lui jeta un coup d'œil, l'essuya machinalement sous l'aisselle et le passa à mon voisin. Celui-ci, incontinent, l'emboucha.

« Pas de fièvre, pas de diète, pas d'antibiotique.

— Pas de problème. »

Mon interruption l'offusqua.

« Vous ne le savez pas... »

Elle évoluait dans des effluves d'eau de fleur d'oranger.

« Eau de Cologne " 4 711 ", dis-je.

— Exactement. Vous connaissez ?

— Oui.

— Vous aimez ?

— Beaucoup.

— On a suffisamment reproché aux Allemands leur manque de raffinement... Or, le monde leur doit l'eau de Cologne.

— A moins que ça ne soit au chimiste italien Giovanni-Maria Farina.

— La toute première, c'est la " 4 711 ".

— Ça peut se discuter. La mort, à Cologne, de Jean-Marie Farina, précède d'un quart de siècle la divulgation de la "4 711 ", laquelle doit beaucoup aux Français. Tout cela fait partie des parfums mystérieux de l'Histoire... »

Elle ignorait l'origine de cette « aqua mirabilis » — eau merveilleuse —, préparée par un chartreux et offerte, en cadeau de mariage, au fils du banquier Mulhens.

« Ce Mulhens habitait l'immeuble 4 711 dans la Glockengasse. Or, l'initiative de numéroter les maisons de Cologne revient à notre armée révolutionnaire de sans-culottes, qui se perdaient dans le labyrinthe des rues entourant la cathédrale. C'était, je crois, en 1792. Le secret du moine ne devint pas celui de Polichinelle, mais il le livra plus facilement que nos Chartreux celui de leur liqueur. Et le banquier Mulhens se découvrit une vocation de parfumeur. " 4 711 " fut bientôt le matricule de l'élégance. La Grande Armée de Napoléon l'adopta et les grognards se firent les V.R.P. de cette eau de Cologne. Elle était, si je puis dire, l'odeur impériale. »

Je la sentais méfiante.

« Votre " 4 711 " symbolise donc une conquête à la française. Il vaut mieux que son appellation demeure une énigme, sous peine de passer pour un défaut d'imagination. Dans ma jeunesse, à Toulouse, seuls les bordels justifiaient leur raison sociale par un numéro. Ce mélange d'un matricule à l'allemande et d'une jouissance à la française, dans le cadre de l'une des plus prodigieuses aventures de l'Histoire, la Napoléonienne, qui emmerda l'Europe au point que celle-ci y trouva sa consistance, voilà le véritable secret de la " 4 711 ". Si j'en étais le patron, je romancerais sa création avec, comme slogan commercial, " un parfum d'épopée ". Austerlitz, Iéna, Eylau. Chaque grognard avait dans sa giberne, outre un bâton de maréchal, un flacon de " 4 711 ". Ce n'est pas beau ? »

Elle pointait une langue fébrile à la recherche d'une réplique mordante, voire venimeuse. J'attendais Waterloo... Le Waterloo de Cologne. Mais non, ce n'était même pas bon pour l'Almanach Vermot. Il n'empêche qu'elle était drôle, cette langue agressive qui s'énervait, et rebiquait parfois jusqu'à la pointe du nez. Je lui tirai la mienne et lui tendis la main :

« Avouez tout de même que c'est agréable de faire connaissance sous l'envoûtement du néroli... »

Elle ne refusa pas la trêve, mais ruminait sa revanche. Je la souhaitais, désolé d'avoir terni l'éclat du camaïeu gris-bleu de ses yeux. Elle vint enfin, toute simple, évidente comme une lapalissade :

« Il ne peut exister deux " 4 711 ", persifla-t-elle. C'est un nombre unique en soi. Alors que les eaux de Cologne de je-ne-sais-qui et de je-ne-sais-quoi, ça coule de source un peu partout. Nous, en Allemagne, on ne connaît qu'elle. »

J'eus aussitôt la tentation d'une argutie fallacieuse, cette insigne chance que l'on ait pu dénombrer au moins 4 711 maisons à Cologne, au temps de la Révolution. C'est parfait pour un matricule : le 4 de tête, le 7 pour l'alignement, et le 11 dans le rang. Elle ne méritait pas que je l'exaspère, cette pauvre infirmière visiblement en garde, dont je chatouillais sans intérêt la fibre cocardière. Je lui concédai le dernier mot. Mieux, je renchéris :

« D'autant plus unique, cette " 4 711 " que, depuis son origine connue, il y a près de deux siècles, elle est religieusement préparée, selon la même formule, par la seule dynastie des Mulhens. »

Elle s'éclipsa dans un tourbillon enjoué qui découvrait ses cuisses, et réapparut sur des entrechats, le flacon caractéristique, turquoise et or, au bout des doigts :

« Il est à moitié vide, dit-elle, mais je vous l'offre de bon cœur. »

Je protestai pour la forme. Elle glougloutait de satisfaction. Dressé sur les coudes, mon voisin à la jambe plâtrée nous observait, l'air parfaitement abruti. Il semblait en cage derrière les barreaux de son lit et j'imagine qu'il ne comprenait pas mes audaces ni la faveur dont je bénéficiais.

toute neuve et branlante, comme celle d'un nouveau-né. Depuis quand, cependant, mettait-on les gens en observation pour un simple torticolis ? Il y avait là un mystère, aussi troublant que celui de mon sursis.

J'objectai la nécessité absolue de mener à terme mon reportage. Le chirurgien, qui nouait sa cravate, me renvoya sa dénégation muette dans le miroir. Afin que ne subsistât aucune équivoque, l'infirmier, sur son ordre, scella au sparadrap l'aiguille de perfusion fichée à la saignée de mon bras. Il fallait donc que j'informe le journal de ma carence.

« Interdit de téléphoner à l'étranger à partir d'un établissement militaire », déclara le chirurgien en se peignant.

Il tolérait que je confie le message au bureau local de l'Agence France-Presse, cette salutaire A.F.P., providence du reporter aux quatre coins du monde et dont la communauté fraternelle rassemble des missionnaires, en général plus efficaces que les pèlerins officiels des ambassades.

« Numéro 156. Premier étage à droite. *Auf Wiedersehen !* » dit-il le talon sec et le salut distant.

L'infirmier guetta le dernier écho de son pas pour m'abandonner au bas de l'escalier. Agrippé des deux mains à la rampe, en bascule à chaque marche, et sur le point de dévisser à chaque prise, je me hissai seul, bourdon en tête, jusqu'au palier himalayen. Quelques ampoules livides pointillaient un couloir lugubre comme celui d'une morgue. Je m'y hasardai, titubant de porte en porte avec l'assistance des murs, et je vis enfin s'ébaucher, dans la pénombre, une silhouette d'infirmier qui, loin de venir à moi, attendait que je me traîne à lui. Il se tenait sur le seuil du 156, et m'aiguilla à l'intérieur. C'était une chambre exiguë, toute en longueur, avec deux lits de fer coincés en enfilade. La lumière importunait dans son sommeil le premier occupant. Il amena vivement le drap sur son visage, découvrant une jambe plâtrée et un sexe qui ne l'était pas. Un mobilier métallique — deux tables de nuit, deux chaises, une armoire commune —, donnait à la pièce l'aspect austère d'une cellule. J'occupais le fond, contre la fenêtre sans store ni volet. Elle fermait mal. Un courant d'air ballonnait le rideau de coutil, qui semblait flotter sur la nébuleuse mouillée de la ville. Sur le lit, il y avait une chemise de nuit de toile bise, une robe de chambre de bure et des savates bleues en matière plastique. Le sommier réglable était relevé. Je devais donc m'adosser et non m'étendre. Mains jointes sur la joue, l'infirmier mima le dodo, me remit à cet effet un suppositoire analgésique et repartit en éteignant. Je ne connaissais pas sa voix.

Dans les envolées du rideau coulait une vague lueur spectrale. Elle brossait la chambre de touches lunaires. Au-dedans, mon voisin, tête renversée, bouche béante, gargouillait. Au-dehors, une gouttière dégorgeait par saccades. L'annonce de mon accident devait à cet instant courir sur les télex et secouer la rédaction, en plein repiquage des éditions de minuit. J'avais souligné son caractère bénin, recommandé la discrétion afin de n'affoler personne, mais aussi avoué mon impuissance à terminer ma mission. C'était bien la première fois de ma carrière que je me voyais contraint à l'abandon. Pourtant, j'avais déjà mijoté le thème de mon dernier papier. La cérémonie de clôture, une incinération : après celle des morts du mardi, réduits en cendres au feu ravivé de toutes les passions, puis balayés sans vergogne de l'enceinte des Jeux, la crémation d'un catharisme olympique désuet, condamné par la religion du veau d'or, à laquelle se convertissent un à un tous les sports et immolé dans les ultimes flamboiements des torches, comme les « crémats » au bûcher de Montségur. Assis sur le lit, je m'étais attardé à fignoler

Ainsi s'amorça ma copinerie avec Veronika. Elle s'avisa que je m'étais tassé au creux du sommier. Appuyant ses mains au cadre du lit, elle m'invita à me pendre à son cou et entreprit de me redresser. Sous l'effort et le poids, son visage vint s'accoler au mien. Malgré la cagoule, je sentais, sur ma joue gauche, la caresse chaude et satinée de sa peau. La douleur m'oppressait et crispait mes mâchoires. « Tout doux... Tout doux... » ronronnait-elle à mon oreille. Lorsqu'elle me hissa en haut du sommier, je suffoquais. Elle avait laissé choir sa tête contre la mienne et demeurait à demi couchée sur moi. Avant de décrocher mes bras, elle attendit que je maîtrise peu à peu mon souffle, au rythme mesuré de sa poitrine, qui enflait et s'en allait mollement. Ses joues avaient viré au vermillon. A fleur de peau passait, sur mon visage, le léger friselis de son haleine.

« Ça va mieux ?

— Ça ira. »

Au parfum familier de l'eau de Cologne se mêlait une odeur tenace de tubéreuse, celle de son corps. Elle filtrait à la naissance de sa gorge. Je dis tout bêtement à Véronika qu'il me semblait l'avoir déjà rencontrée. Le scepticisme de son sourire appelait une justification. Elle était facile. Je faisais partie d'un jury bon vivant qui, chaque été, désignait au terme d'une kermesse rurale et joyeuse, et même un peu polissonne, une saine luronne promue « Belle Gaillarde ». « Nul ne ressemble mieux à une fraîche montagnarde des Pyrénées qu'une solide fille des Alpes bavaroises.

— Les Français sont tous les mêmes ! minauda-t-elle.

— Vous paraissez très éclairée.

— Vous êtes le premier. »

Je la taquinai sur ce refrain connu. Les femmes décernent volontiers, à chacun de leur partenaire, le privilège de la découverte, sinon de la révélation. Ce qui leur permet de s'octroyer, en retour, celui de l'innocence et de l'ingénuité. Elle ne se voulait ni candide ni naïve, mais sincère :

« Je vous assure que, jusqu'à ce jour, vous êtes bien le seul Français que j'aie approché. Mais qui donc, au monde, et plus particulièrement en Allemagne, ignore votre réputation ? Oui, tous les mêmes...

— Ce que nous devons être ennuyeux, du fait de cette uniformité !

— Je ne dis pas que vous m'ennuyez. Au contraire. Mais je sais qu'il faut se méfier de chacun de vous, même du meilleur.

— Comment donc le savez-vous ? »

Plus elle se dérobait, plus je la pressais de questions. Elle aurait voulu rompre la discussion, mais ne pouvait s'y résoudre, crainte de désamorcer entre nous tout dialogue.

« Même ma mère, confessa-t-elle enfin, m'a toujours recommandé de ne jamais croire un Français. »

Supputant son âge, j'imaginai une de ces aventures des temps d'occupation, qui tarabustent épisodiquement une existence. Le voisin intervint à propos pour nous dérouter de la voie délicate sur laquelle nous nous engagions. Il rognonnait contre sa solitude et faisait à sa façon mon procès :

« Je mérite d'être aussi bien considéré que le Français.

— La belle affaire qu'une jambe cassée ! pesta Véronika. Ceux qui ne souffrent que de bricoles sont toujours les plus geignards. Le Français, lui, a le crâne ouvert et le cou tordu. Ça, c'est du courage ! »

Elle alla quérir la cuvette d'eau chaude qu'il réclamait pour sa toilette. Il me fixait, encore plus hébété. Cette fois, il ne comprenait pas comment je pouvais, à la fois, jouer les freluquets et les héros. Son barbotage m'incita à me décrasser aussi. Pas question de me raser. Sur le museau, un simple coup de patte, à la façon des chats. Mais le sang caillé poissait mon corps par plaques et collait les poils. Je voulais, en outre, me débloquer et vérifier le fonctionnement de mon organisme. Je convainquis Véronika de m'arracher au lit. Elle me fit avec douceur pivoter sur mon séant, tirant à elle mes jambes jusqu'à ce que mes pieds effleurent le sol. Puis elle s'arc-bouta sur le lit, juste au-dessus de moi, bras tendus, mains bien à plat de part et d'autre de mes épaules :

« Cramponnez-vous de nouveau à mon cou. Solidement. Il faut éviter de s'y reprendre à plusieurs fois. »

Haletante, elle se redressa, sans à-coups, guettant, sur mon visage, l'intensité de la torture qu'elle m'infligeait. Dès que je pris pied, mes jambes lâchèrent. On ne devait pas sortir plus rompu d'un tour de roue. Véronika me ceintura. Liés l'un à l'autre, nous chancelions, tantôt menacés par la culbute sur le lit, tantôt sur le point de rouler à terre. Elle se cambrait pour résister au poids mort accroché à elle qui, de plus en plus, la charriait. Je n'étais qu'un pantin sans fil et désarticulé. Au prix d'un ahan tendu, qui faillit projeter sa poitrine hors de la blouse, elle parvint à me drosser à reculons jusqu'à la cloison. Elle exhala un « C'est gagné ! » dans un soupir qui ne semblait pas éloigné du dernier. Plaqué sur elle, et sans le moindre abus de situation, je fus long à assurer mon équilibre. A droite, le coup de la « Mercedes » avait endolori la hanche et la cuisse. A gauche, un gros hématome boursouflait le mollet et la cheville. Et ma tête ronronnait *crescendo*. Il me semblait qu'elle se dilatait et qu'elle allait exploser. J'apaisai Véronika en me rassurant :

« Donnez-moi le temps de me dérouiller. Ensuite, tout ira bien... »

Je pris conscience du ridicule de ma tenue en bannière

et lui dis que tout homme, même un Français, y perdait ses avantages. Elle m'aida à endosser ma robe de chambre et, serviette au cou, savonnette en poche, je sortis à son bras, instable comme un boxeur groggy. Déjà, je traînais moins les savates en arrivant aux lavabos. Ce fichu mépris des Allemands pour les bidets me mit en rogne et je m'en pris sottement à Véronika :

« Je suis coiffé de pansements, je tiens à peine debout, il m'est pratiquement impossible de me dévêtir seul, comment vais-je donc procéder à ma toilette ? A la rigueur, assis sur un bidet, ça pouvait aller... »

Je n'avais pas tort, mais l'évidence n'autorisait pas mes propos louches. Elle faisait tourner Véronika à l'écarlate. Je la sommai de me bouchonner dans une cabine. Elle refusa. Sauf en cas d'urgence, l'exercice de ses fonctions se limitait aux chambres des malades.

« Je vais donc me faire bichonner au lit comme un bébé ! »

C'était conforme au règlement, mais pas à mon souci. En observation, je me devais de prouver mon autonomie de mouvement et d'action. Je tremble encore aujourd'hui au souvenir des risques en toute innocence encourus lors de mon décrassage acrobatique. Afin d'offrir par tranches mon individu à une douche écossaise, je jouais les funambules au-dessus d'une cuvette savonneuse sans caillebotis. Je soutins ainsi, dans une dure alternance d'étourdissement et de vertige, la gageure de me laver sans me mouiller. J'ignorais alors que la moindre chute pouvait tourner à la catastrophe et grimpai même sur un tabouret bancal pour vérifier, dans la glace du lavabo, l'efficacité de mes ablutions. J'avais négligé le nombril : un caillot de sang l'oblitérait, grosse éclaboussure en étoile, piquée comme un crachat honorifique au milieu de mon ventre. C'était plutôt l'œil crevé du cyclope. Inquiète, Véronika guettait mon retour, au seuil de l'infirmerie. Elle vint à ma rencontre bon pas, de cette allure ballante qui escamotait sa lourdeur sous une désinvolture sportive. Elle se réjouit de l'aisance, toute relative encore, de mon maintien. Le décrassage m'avait en effet dégourdi. Je refusai son bras et, forçant sur mes moyens, je l'entraînai à l'autre bout du couloir. De part et d'autre, des vues de la Grande Allemagne, celles de l'Est et de l'Ouest, le jalonnaient. Toutes les chambres étaient closes.

« Nous sommes nombreux comme pensionnaires ?

— Quatre. Ce soir il ne restera que vous.

— Pourquoi ?

— L'armée reprend possession de l'hôpital demain.

— Que fait-on alors des autres ?

— On les transfère dans un établissement civil.

— Et moi ?

— Le docteur décidera aujourd'hui.

— Et vous ?

— Je vais rentrer aussi dans le civil. »

Au retour, elle me poussa gentiment chez moi, où m'attendait un substantiel petit déjeuner. Mon voisin bâfrait le sien avec une voracité de carcajou. Je lui donnai ma mortadelle et mes chipolatas, gardai la petite tablette de chocolat pour la croquer à temps perdu, et me contentai du café crème. Ma tête n'avais pas encore éclaté, certes, mais parfois il me semblait toucher au point de rupture. D'où venait ce supplice, puisqu'il n'y avait rien de cassé dans ma nuque ? Le chirurgien était formel : pas de fracture de la colonne cervicale. Alors, pourquoi ce crissement insupportable, cette impression d'un poinçon oublié après un « descabello » raté ? Manqué il y avait environ une douzaine d'heures, qui me semblaient déjà une éternité. Malgré toutes les précautions, il m'était aussi douloureux de m'étendre que de me relever. Le mouvement le plus doux avait l'ampleur d'une commotion. Pour la première fois de ma vie, je crois, j'ai éprouvé le désir de me faire dorloter, et suis aussitôt entré en rébellion contre la souffrance. Je l'ai ainsi matée sans le secours de Véronika. Le souvenir de ce sursaut de rage devait me soutenir par la suite, en bien des moments délicats, ceux où l'on démissionne par besoin de tendresse et où le courage se désamorce sous une caresse.

Au self-service du Centre de Presse, la nouvelle de mon accident devait sans doute courir de plateau en plateau, entre les omelettes, les œufs au bacon et les saucisses. Comme chaque matin, Georges était passé me prendre pour le petit déjeuner. Surpris par mon silence, il avait tambouriné de plus en plus fort son impatience contre la porte... Et puis gueulé, réveillant — c'était tant mieux — le locataire de la chambre voisine, photographe turc au faux air de Fernandel qui, chaque nuit, à la pointe de mon premier sommeil, tirait des meuglements d'une partenaire névrosée. Rien de plus déprimant, dans la solitude, que ces manifestations qui montent avec orchestration — andante, allegro, presto — d'un lit criard. Il s'était emporté, Georges, toujours soupe-au-lait, en apprenant, chez les plantons, que je n'avais pas retiré ma clé la veille :

« Comme s'il ne pouvait pas attendre à ce soir pour bambocher. »

Déjà, en lui-même, il me chantait pouilles, entre l'œuf à la coque et le yaourt. Le choc de la nouvelle l'avait alors secoué, chaviré et, paternel, il s'était mis à râler, selon son habitude :

« On ne peut jamais le laisser seul, ce phénomène ! »

Au fond, il se sentait un peu responsable, pour ne pas m'avoir attendu, quand nous ne nous quittions pas de la journée. Je sais, c'était la faute de la pluie. D'un moment à l'autre, il allait apparaître, l'air bourru dissimulant son anxiété. Plutôt aux alentours de midi, car les servitudes des transmissions nous contraignaient à sauter le déjeuner.

Au fait, avait-on songé à prévenir les sténos de ne pas attendre mon appel ? Les mauvais esprits ne manqueront pas de souligner la contradiction entre ma carence et mon message rassurant. Mais lorsque je rentrerai, avec ma tête enturbannée de Mammamouchi, ils n'oseront pas me dire, comme à l'accoutumée :

« Alors, tu t'es bien promené ? »

La majorité des journalistes, du haut en bas de la hiérarchie, ignore l'information brute, comment on la détecte, on la traque, on la capture, on la traite, et ce que cette chasse suppose d'initiative, de maîtrise, de volonté, d'oubli de soi. Ce n'est pas forcément par impuissance, mais on ne leur a pas toujours offert leur chance. Ils ne conçoivent pas ainsi, pour la plupart, la nécessité de ce recyclage permanent en tous domaines qu'imposent la quête et la conquête de l'actualité. Ils se contentent d'exercer, avec une résignation qui le dispute à une certaine autosatisfaction, une sorte de magistrature assise et jugent, proposent, disposent au sein de la profession, puisqu'ils en constituent la majorité. Entre autres maux, la presse souffre ainsi, fondamentalement, de la rareté des journalistes de campagne, c'est-à-dire de combat, ceux qui étayent son équilibre en assumant, en toutes circonstances, tous les rôles. Car au théâtre turbulent de l'information, on ignore le classicisme : ni unité de lieu, ni unité de temps, ni unité d'action. La connaissance vécue de l'événement et celle du poids redoutable de la plume donnent aux témoignages du journaliste de campagne, portés sans haine et sans crainte, l'efficacité frappante de la mesure. Or, l'évolution des techniques d'information, de transmission et de fabrication, le sacrifice fréquent du fond aux fantaisies de la présentation, l'immolation de la plume et de son originalité au souci du cadre et à ses servitudes, des rigueurs syndicales surannées et parfois suicidaires, trop d'appétits mercantiles et, souvent, l'ignorance regrettable, aux échelons décisifs, des règles fondamentales du journalisme et de son esprit, ont fait, chez nous, de la profession jusqu'à présent la moins sélectionnée du monde, un ramassis de plus en plus encombré d'illusionnistes redoutables et de plumitifs sans caractère, à la mesure, sauf rares exceptions, d'une presse qui semble se résigner à la médiocrité et ne nourrir que l'ambition de survivre. Et comme, c'est bien connu, un peuple a la presse qu'il mérite et la presse fait le peuple qu'elle mérite, l'un et l'autre se banalisent dans cette petitesse où se complaît une opinion blasée, avant tout soucieuse de satisfaire ses égoïsmes.

Je n'avais pas retrouvé, chez le chirurgien, ce charme de la veille, qui m'avait conduit à regretter de ne pas être lui. Suivi de Véronika, il était entré sans « Bonjour », l'air absent, le pas mécanique. Il avait le visage fripé, avec des macules de barbe cendrées et une dégaine de matin de débauche. Il grasseyait ses questions d'une voix de rogomme. Véronika lui rendit compte de mes faits et gestes. Il négligea mon mollet difforme et turquin, prescrivit à mon voisin de préparer sans délai son transfert d'hôpital, et repartit sans « Au revoir ». Véronika eut beau, sur le seuil, lui tirer un pied de nez dans le dos, son espièglerie ne dissipa nullement le malaise sécrété par cette morne visite. Manifestement, ce toubib à la gueule de bois l'avait accomplie comme une ingrate formalité. Ou bien mon cas ne le chagrinait pas, ou bien il lui suffisait que je tienne jusqu'à la passation de ses responsabilités. A moi de choisir, selon les fluctuations du moral. Or celui-ci était plutôt couleur du temps, maussade et flasque.

Pour bannir les rêvasseries débilitantes, je fixai à ma volonté le devoir de maîtriser mes défaillances. Je roulai sur le flanc droit, basculai mes jambes hors du lit, me soulevai sur les coudes, puis les bras, et me dressai seul, un peu flageolant, mais tellement bien accroché par mon cou, que la seule douleur me tint debout. Il me semblait que je ne pourrais jamais souffrir plus. C'était donc le moment de défier le mal. Je m'assis, me renversai lentement, mains à la nuque, pieds en l'air, et m'étendis. Ce dur exercice d'abdominaux mobilisait tous mes muscles. Sans exception, ils étaient noués à la pointe du criss qui serpentait, de part en part, à la base du crâne et, dans les convulsions de mes efforts, s'y lovait pour mieux mordre. Trois fois, dans les deux sens, debout-couché, je réitérai cette gymnastique rigoureuse. J'étais en nage et mon voisin s'enhardit à condamner mon masochisme. Interrompant le ramassage sautillant de ses affaires, il se percha sur sa jambe valide et croilla comme un chouca :

« Vous avez perdu la tête ? Couchez-vous ou levez-vous, mais cessez votre manège désagréable. »

Surpris par son audace, et gêné par ma stupeur agressive, il baissa aussitôt le ton :

« Que voulez-vous faire ?

— M'évader !

— Pourquoi ?

— Parce que je suis prisonnier... Je m'exerce donc à me lever sans le moindre secours. »

Pantois, il perdit l'équilibre et s'accrocha au lit. Deux hélicoptères de police descendaient au-dessus de la cour intérieure dans un battement fracassant. Ils se posèrent sur le cercle blanc de l'aire d'atterrissage, avec des hésitations et des soubresauts de libellules sur la lune d'eau d'un nymphéa. C'est depuis lors que la tête de mon voisin me revient parfois, incarnation de la stupidité absolue. Il bafouilla :

« Trop tard ! »

L'index sur les lèvres, je le fis taire. Il s'effaça, effarouché. Je refermai la porte et, ragaillardi par ce canular, remontai, tranquille, le couloir pour aller pisser. La voix à son sommet de Véronika, alarmée par ma disparition, vrilla la porte des cabinets. A ma sortie, je la trouvai s'égosillant sur le palier et ameutant la cour. Mon apparition eut peu d'effet sur elle. La colère ne suffisait pas à expliquer son trouble. Sa réprimande était aussi une prière :

« Pas de bêtises... Du moins sous ma garde ! »

Mon rire la piqua :

« Vous n'avez pas de cœur !

— C'était une plaisanterie. Pourquoi songer à m'évader, puisque je vais m'en aller normalement aujourd'hui ou demain ? »

Au bord des larmes et de la crise de nerfs, elle tordait ses mains jointes et faisait craquer ses doigts. Je passai le bras autour de ses épaules en murmurant :

« Je ne suis pas pressé de vous quitter... »

Elle se dégagea, ricanante :

« Tous les mêmes, ces Français... Ma mère a raison. Tous les mêmes... »

Je devinais. Ces satanés Français, ça se sert des femmes puis, quand bon leur semble, ça les plaque sans façon. Je crus rétablir la situation :

« Que vais-je devenir puisque vous allez vous-même partir ? »

Elle arma sa réplique sur un ton persifleur :

« Vous vous accommoderez dans mon dos de la suivante... »

Véronika avait ressenti ma pseudo-fugue comme un affront personnel, une humiliation pour sa fierté de femme. L'incident la vexait d'autant plus que son alerte « au Français disparu » avait jeté l'ensemble du personnel de service sur la galerie. Aussi, pour me reconduire à ma chambre, me fit-elle passer devant, comme un captif. Elle me provoquait, le verbe haut — « ces étrangers que l'on soigne et qui se croient tout permis » —, et je me tenais coi pour ne pas envenimer l'incident. Je défilai devant un magasinier mamelu, en tricot de peau pisseux, dégringolé d'un amoncellement de matelas et de couvertures, deux plantons ahuris, en treillis de corvée, présentant pelles et balais au seuil des bureaux administratifs et un sous-officier gestionnaire, frais comme un page, roulé hors de sa carrée dans un tourbillon de valses viennoises, sa vareuse pet-en-l'air jetée sur les épaules. Devant la porte 156 se tenait planté comme une sentinelle mon inénarrable voisin, partagé entre la gloriole crétine de ma capture, la honte de son mouchardage et la frousse de ma réaction. A mesure que j'avançais vers lui, d'un pas grave qu'il devait juger menaçant, l'espèce de caraco charbonneux dont il était affublé soulignait sa pâleur. Pressentant un accrochage, Véronika s'était portée à ma hauteur :

« Le malade, c'est lui, pas moi ! » dis-je. Et je lui notifiai tout net que je n'entendais pas rejoindre dans l'immédiat ma chambre. D'abord il allait de son intérêt même d'éviter désormais ma cohabitation avec ce fieffé imbécile, ensuite je ne désirais retrouver mon lit que moulu et fourbu, afin d'avoir quelque chance d'y dénicher le sommeil. Puisque le chirurgien n'avait jeté aucun interdit sur mes évolutions, il était donc superflu d'entrer en transe si je manifestais quelque ardeur. J'abattis de solides atouts, ma chance insigne reconnue de tous, l'absence vérifiée de lésion vitale et l'espoir entretenu d'un imminent départ. Mais on ne songe jamais assez, lorsque l'on se trouve à l'étranger, même chez nos proches voisins, que notre logique leur échappe le plus souvent. Seuls, en pratique, les Français fonctionnent au monde selon « où-quand-pourquoi-comment », et veulent, en toutes choses, connaître les tenants et aboutissants. Véronika m'opposa sa logique à elle, fondée sur l'évidence qu'un patient en observation ne doit pas se soustraire à la vue de son infirmière, et qu'il n'existait en conséquence, pour ma sauvegarde, de meilleur refuge que le lit. Devant le crétin, que la surprise crétinisait encore, elle me laissa tapoter sa joue poupine :

« Vous êtes exquise de sollicitude, Véronika. Mais permettez-moi d'errer à ma guise dans les parages, afin de tuer et mon mal et mon temps. Je vous promets de demeurer toujours à portée de vos jolis yeux. »

Je décrochai le sourire que je quémandais :

« Tous les mêmes, ces Français, marmonna-t-elle, pour la troisième fois de la matinée. Ils obtiennent toujours ce qu'ils veulent... »

Je crus qu'elle allait revenir sur son abdication lorsqu'elle se raidit soudain dans sa blouse collante, le sourire pincé. Mais non. Elle exécuta un demi-tour très strict. Le couloir s'était vidé. Véronika s'en allait en talonnant et son croupion susceptible semblait l'occuper tout entier. Lorsqu'elle disparut, tête haute et torse bombé, je me lançai dans un marathon d'allées et venues un peu dingue. Attentif aux variations aiguës du foret qui vrillait ma nuque, je m'efforçais d'assurer mon maintien par des changements de rythme de plus en plus brusques. J'arrivais ainsi à discipliner, à ses divers degrés de cruauté, une douleur qui me paraissait d'autant mieux domptable que j'en connaissais le modèle chez Balzac. Je ne sais où, ni à quel propos. Mais je ressentais le même phénomène : une douleur « comme cette tige de fer que les sculpteurs mettent au sein de leur glaise : elle soutient, c'est une force ». Moralement, elle ne laissait pas de me troubler car, au cours de ces manœuvres de rééducation, la récente thèse de médecine du docteur Jean, sur « les traumatismes du crâne et du rachis cervical chez le rugbyman », m'était subitement revenue en mémoire.

Sans doute cette très sérieuse étude, réalisée par un joueur international, obsédait-elle mon subconscient depuis l'accident ; c'est elle qui provoquait ma hantise d'une fracture de la colonne cervicale. Mais il me revenait à présent des références exactes. Dans une chute à hauteur d'homme, le crâne frappe un plan dur avec une force représentant cinq cents fois son propre poids, ce qui équivaut à un choc d'une vitesse terminale de vingt kilomètres à l'heure. Je devais faire du cinquante, moi, puisque, selon les témoins, j'avais tournoyé en l'air avant de retomber sur la tête. La douleur qui me déchirait découlait donc d'une hyperflexion forcée. Car le syndrome commotionnel que j'enregistrais, le docteur Jean le décrit exactement dans sa thèse. Il y démontre en particulier comment on meurt au rugby par hyperflexion forcée, en particulier sur une cabriole appuyée ou sous une mêlée écrasée. Je revoyais, au hasard de l'étude, des reproductions de radiographies impressionnantes, avec des colonnes cervicales brisées, disloquées, et désaxées comme des tuyaux de poêle à la Dubout. Mais dans mon cas, il était impensable que le chirurgien ait laissé passer de telles anomalies, qui sautent aux yeux.

Véronika m'intercepta. Le médecin venait justement de

téléphoner, à mon intention, un traitement de rééducation. « Une petite gymnastique du cou afin d'assouplir vos muscles », dit-elle.

Mon voisin n'était plus là. Dans la turbulence de mes exercices, son départ m'avait échappé. Pour la commodité, le squelette de son lit gisait même sur le côté.

Véronika me fit asseoir à l'angle de mon sommier et, l'œil soupçonneux, s'en fut ouvrir toute grande la porte que j'avais vraiment fermée sans malice.

« On attribue aux autres, c'est bien connu, les pensées que l'on nourrit soi-même. »

Elle riposta du tac au tac :

« Si vous ne les avez pas maintenant, je suis sûre que vous les auriez eues tout à l'heure.

— Comment voulez-vous que je pense avec ma pauvre tête démolie ?

— C'est bien pourquoi je vais essayer de la réparer.

— Et si j'ai alors des pensées ?

— Et bien on verra... Pour l'instant, tenez-vous sage... »

Les infirmières ont toujours un langage maternel, même quand on pourrait être leur père. Elle s'était installée sur une chaise, en face de moi, et tirait de tous côtés sa blouse trop courte pour dissimuler ses solides cuisses roses.

« Vous allez tourner la tête cinq fois à droite et cinq fois à gauche.

— C'est impossible !

— Ne faites pas le douillet.

— Vous savez bien que je ne le suis pas.

— Le docteur tient à savoir avant de vous relâcher comment peu à peu votre cou se débloque.

— Mais il l'a lui-même enserré dans un épais collier de coton pour soutenir ma tête. »

Elle s'attendrit avec une moue futée :

« Il s'agit du jugement pour ou contre votre libération... »

J'avais beau tirer à gauche puis à droite, comme un chien tenu de près en laisse, c'est à peine si je parvenais à ouvrir, de chaque côté, un angle d'une dizaine de degrés. Et avec un tel concours de grimaces, que Véronika margotait comme une caille ivre de soleil. La belle drôlerie que la souffrance des autres... Tout grinçait dans ma tête, les dents, les mâchoires, le cou, le crâne, et mes oreilles, enflées par une folle stridulation de cigale, semblaient prêtes à crever. Je demandai grâce :

« La charnière est coincée ou cassée... »

Elle avança sa chaise contre le lit, écarta ses jambes pour mieux s'approcher, saisit mon crâne entre ses mains et entreprit de droite à gauche ses manipulations en les appuyant de « Rechts... Links » péremptoires. Ce fut abominable. Quelque chose craqua sous ma nuque comme du bois mort et j'eus la sensation immédiate d'avoir un cou de taureau.

« Arrêtez, je vous en supplie !

— Rechts... Links. »

Mon pansement m'étranglait. A mes tempes, un *pizzicato crescendo* de contrebasse ; mon regard perdu dans un brouillard ; dans ma bouche sèche, une langue épaisse comme un galet. Je tentai d'écarter l'étau de ma tortionnaire. Elle résistait, acharnée à démantibuler ma tête avec méthode. « Rechts... Links. » Incapable de lutter sans ajouter à ce calvaire qui m'émasculait et me privait de mes moyens normaux de défense, j'eus, d'instinct, recours à l'agression. Je plongeai ma main droite entre les cuisses de Véronika. Les résultats furent immédiats : les cuisses instinctivement refermées sur ma main que ses mains agrippaient, ma tête libérée qui battait la breloque, à demi aveugle et sourde, ses ongles incrustés dans mon poignet, le râle d'une supplique pour que je lâche prise, mon injonction de ne plus continuer. Nous nous rejoignîmes à mesure que s'estompaient, pour elle, l'effet de surprise, pour moi, celui de la douleur.

« Je vous fais remarquer que vous me tenez prisonnier. Je ne demande qu'à retirer ma main. »

Elle entrouvrit ses cuisses, que je quittai doucement.

« Pardonnez-moi, je n'avais pas d'autre façon d'interrompre le supplice. »

Elle avait reculé sa chaise et, le visage congestionné, rajustait sa blouse sans oser lever les yeux.

« Véronika, je vous le répète, seule la souffrance insupportable que vous m'infligiez a commandé mon geste déplacé.

— Il fallait bien que j'exécute les ordres du docteur. »

Un nœud de sanglots étranglait sa voix. Je me levai en prenant appui sur ses épaules. Elle demeurait assise, mains jointes entre ses cuisses, comme une pécheresse contrite. Je chiffonnai les boucles qui ourlaient sa nuque :

« Vous n'allez pas dramatiser un réflexe inconsidéré... »

Je m'interrogeais sur le sentiment qui l'habitait. J'eusse admis une explosion de courroux. Mais la raison de cette passivité, pudique et presque honteuse, m'échappait.

« Et si le docteur me prescrit de poursuivre le traitement ? dit-elle.

— Je recommencerai aussi.

— Mettez-vous à ma place.

— Je vous souhaite de n'être jamais à la mienne. »

Elle s'était dressée, avec du vague dans le regard, une bouderie sur la lippe :

« Je ne peux pas tout lui expliquer.

— Dites-lui donc que les Français sont tous les mêmes. Il comprendra. »

Elle se dérida. J'en profitai aussitôt pour lui glisser à l'oreille :

« Avouez que vous vous attendiez à autre chose de ce genre, puisque vous aviez pris la précaution de laisser la porte grande ouverte... »

Avec une candeur désarmante, elle chicana sur la manière :

« Pas comme ça, tout de même !

— Vous m'en voulez ?

— Non... Mais si le docteur sait, j'aurai automatiquement tort. Il ne manquera pas de me reprocher ma rudesse. C'est son refrain et il ne m'aime pas... Voilà pourquoi je suis ici... La dernière...

— Heureusement pour moi ! »

Ce n'est pas fatuité de penser qu'elle avait mordu — au point de balbutier un aveu. Inattendu, son sentiment de culpabilité me soulageait. Je l'en libérai sur l'heure. J'assumais désormais la charge, pleine et entière, de l'épreuve du « rechts links » et, désireux d'adapter ma souffrance, que seul je pouvais apprécier, à cette gymnastique, je récusais formellement toute assistance, fût-elle la plus douce et la plus attentionnée, à l'image de celle de Véronika.

Cette matinée, prodigue d'émotion, s'acheva avec une botte de gros radis rouges, un ragoût graisseux, semé de petits pois si verts qu'ils semblaient synthétiques, et un yaourt.

« Alors, mon coco ! » Je m'occupais à la recherche difficile d'une position de méridienne lorsque Georges, forçant sa voix dans le grave, se présenta pour m'engueuler. Il n'y avait, paraît-il, que moi pour me mettre dans un tel état. Et, de surcroît, le dernier jour des Jeux, histoire d'emmerder les copains qui, décemment, ne pouvaient m'abandonner. Mais ce bref réquisitoire, prononcé d'un trait, la larme à l'œil, dissimulait une autocritique tortueuse où il revendiquait la responsabilité, par négligence, de l'accident. S'il était resté à mes côtés, nous aurions sûrement gaspillé ensemble la minute fatidique de ma brève rencontre avec la Mercedes. Il n'évoquait même pas l'alibi de la flotte et maudissait la malignité du sort qui l'avait poussé dans une voiture amie. Je berçai sa peine en me berçant moi-même d'un espoir douteux :

« Comme prévu, nous rentrerons demain à Paris par le même avion...

— Tu feras escale deux ou trois jours chez moi. Nicole te soignera... »

Nullement dupes, nous composions tacitement l'un avec l'autre. Je l'avais supplié de ne rien changer à son emploi du temps et renvoyé, malgré moi, à son boulot. Il s'en était allé, très vite, porter son chagrin dehors. Je le vis traverser la cour de ce pas accéléré qui nous emballait si souvent ensemble, dans la poursuite passionnée de nos enquêtes. Au portail, il s'était retourné et me chercha, en vain, sur l'échiquier vitré de la façade... « Saisi d'un coup, me dit-il plus tard, par l'angoisse sinistre de ne plus te revoir... »

Les appels téléphoniques de ma direction et de ma famille — à qui je mentis sur mon état avec une assurance d'autant plus sereine que la médecine, manifestement, ne se bilait pas — m'avaient ouvert la chambre-bureau du sous-officier gestionnaire. Cet interne des hôpitaux, jeune marié, brûlait de jeter son uniforme aux orties afin de rentrer au plus vite chez lui. Il avait sauté sur l'occasion pour rassembler des connaissances éparses de notre langue et, en français, je n'ignorais rien, entre deux communications, de sa vie et de sa situation. Son poste de télévision justifiait pour moi toutes les patiences. C'est ainsi que, l'après-midi, je subis l'excitation cocardière du sous-officier gestionnaire. Elle se déchaîna tout au long du jumping d'autant que, jusqu'au dernier parcours, l'Allemagne sentit les Etats-Unis renâcler sur sa croupe. Pour une misère de quart de point, elle accrochait finalement l'ultime médaille d'or à sa selle. Nous avions fêté l'événement en sablant des sodas. Vint l'incinération, qui n'en finissait pas. Porté dans le noir par le faisceau d'un projecteur unique, Avery Brundage quittait définitivement la scène en vedette américaine, après vingt années d'un règne intransigeant. Lorsque, au bout de la lumière, la nuit absorba sa haute stature de clergyman de choc, cette disparition libérait la religion olympique d'un puritanisme obsolète. Je dis qu'avec la retraite de ce vieux prêtre intolérant, qui avait assis le culte d'un mythe sur son détachement de milliardaire, Munich ferait date dans l'évolution nécessaire du sport...

« Le rite d'Olympie est déjà irrémédiablement contaminé par l'hérésie des vanités nationalistes.

— Le sport exacerbe les fanatismes plus qu'aucune autre passion, approuva le sous-officier.

— Il est donc vain de vouloir lutter contre sa prostitution, car elle sera sanctifiée, au sommet, par la folie populaire, sinon par la raison d'Etat. La petite main qui se dévergonde se fait, sans pitié, qualifier de putain, quand la vedette qui s'encanaille passe pour une héroïne libertaire. Nous retombons dans la décadence romaine, celle du pain et des jeux, avec cette tare supplémentaire que l'on n'a même plus le souci de la qualité du pain, ni de celle des jeux. »

Une rétrospective des principaux événements de ces deux semaines olympiques nous entraîna de délires en drames, aux abords de minuit. Il se vérifiait que le sommet de l'Olympe avait été atteint dans la finale du « quinze cents mètres », avec la prodigieuse vision, presque irréelle dans sa perfection, du coude à coude entre Pekka Vasala et Kipchoge Keino. A la sortie du dernier virage, le Finlandais trop blanc était venu calquer exactement le Kényan trop noir. On aurait dit, soudain, qu'il se mettait à courir sur un écran avec son ombre, qu'il était en surimpression sur son négatif, tant les corps jumelés jouaient à l'unisson, tête haute en figure de proue, buste d'aplomb, la poitrine large ouverte, jarret tendu et genou culminant dans l'escalade de l'effort, rythmé par le balancement de métronome des bras, les mains crispées sur la volonté de vaincre. Jamais rien, je crois, n'avait offert, en quelques secondes, le spectacle d'une si intense harmonie. Et sur la ligne droite, Pekka Vasala s'était insensiblement décollé de son ombre, sans qu'elle ni lui ne se désunissent. Il triomphait en relief sur le fond vert de la pelouse, comme s'il avait été projeté en avant, laissant le découpage noir et fidèle de sa silhouette courir après lui. Envoûtant, l'exploit tenait à la fois de l'illusion d'optique et de la magie. A lui seul, il sublimait les Jeux dans une exaltation lustrale.

Véronika était discrètement partie pendant le jumping, relayée, pour la nuit, par une rousse du genre virago, sèche avant d'avoir mûri et dotée d'une dentition agressive de rongeur. Je lui avais refusé le minable repas froid du soir, pas plus appétissant qu'elle. Elle me guettait à minuit, à l'entrée de son gîte, l'œil fauve, le museau mobile comme celui d'une lapine. Elle couina :

« Vous trouverez le suppositoire au chevet de votre lit. »

Il sautait aux yeux, en effet, tout argent, calé, debout, contre la savonnette rose, sur la table de nuit bleue. Autour de cette bitte d'amarrage miniature, avec sa taille fine et sa tête renflée, plantée au quai de cafard où je revenais m'échouer, s'enroulèrent drôlement mes pensées. Le ridicule de ce détail trahissait pour moi un souci maternel. Une certaine innocence, qui confine vite au puéril, compense souvent le handicap de la souffrance. Celle-ci, en polarisant l'esprit, détache peu à peu de la réalité. Il en résulte une tendance à l'égoïsme, où l'on épie le comportement de ceux dont on attend toutes les prévenances, comme s'ils étaient responsables du mal qui, au contraire, les pénalise. Ceux qui possèdent la pratique des patients le savent. Obsédée par la vision du malheur qui me menaçait, selon elle, ma mère, m'accablant de sa sollicitude, m'avait toujours considéré comme un malade en puissance. Ma table de nuit était alors, pour elle, le tremplin de tout ce qui, au coucher et au lever, devait sauter à mes yeux. Mon premier et mon dernier regard se posaient ainsi chaque jour sur cet autel de sa vigilance. Malgré mes apaisements, elle devait, à cet instant, s'alarmer, ma mère, et entretenir ses craintes touchant à la gravité réelle de mon état d'un doute sur l'efficacité des soins que l'on me donnait.

Fourbu et moulu comme je le souhaitais, je ne me sentis pas la force de quitter la robe de chambre. Je traînais des boulets aux pieds et chaque mouvement exigeait un tel effort que je plantais mon clou dans ces profondeurs insondables où le cœur renonce sous la dictature de la douleur. J'avais roulé sur le côté gauche, face au mur, pour fuir les reflets d'un falot nocturne. Et j'appelai le sommeil en retrouvant, d'instinct, ma position favorite d'enfant, corps recroquevillé, mains jointes entre les cuisses. Je l'adoptais surtout dans des situations bien précises : elle était, d'abord, la pose du bien-être, quand les tempêtes d'hiver menaient leur sabbat autour de la maison familiale ; elle m'aiguillait aussi vers les revanches du rêve lorsque, par déception ou désir, je me voulais cacique en tout, sports, études et amours ; c'est enfin dans cette position fœtale que je tissais autour de moi un cocon complexe qui m'isolait du temps et où je me concoctais une éternité selon mon sentiment, par des réincarnations en chaîne. En cette nuit, elle me procura pendant quelques heures un oubli si plein que mon réveil, sur un demi-tour inconscient, me crucifia. Sous le rideau suintait un petit matin humide et blême, celui que, par tradition ou défaut d'invention, le sort réserve aux condamnés. Cellule nue, solitude, robe de bure, seuls manquaient des barreaux à la fenêtre. Et aussi un aumônier.

Je m'étonnai de ne pas y avoir songé plus tôt, non pas que j'éprouve la nécessité absolue de sa présence, mais un hôpital sans aumônier, surtout dans la très catholique Bavière, c'était tout de même étrange. Moins, toutefois, que de ne pas y voir un médecin. Par quel impossible hasard n'avais-je pas rencontré le moindre curaillon sur mon chemin, pendant mes quatre-vingt-cinq minutes de dérive entre la vie et l'au-delà ? Pierre Delhomeau, lui, avait eu droit, d'office, à l'extrême-onction, sur les lieux de l'accident. Bien sûr, quand on est lucide, et pas trop croyant, ce n'est pas fait pour vous remonter le moral. Et je me passais sans peine, en cette aube livide, d'un visa pour bien mourir. Il n'empêche qu'un aumônier rassure, regonfle même et, de toute façon, tient utilement compagnie. Non pas avec des artifices de cagot, des momeries d'église, ou des bondieuseries enrobées de sucre candi, mais par cette bonhomie née de la sérénité : car celle-ci est la forme la plus sûre et la plus active de l'affection. Et quand on donne dans le militaire, il se greffe là une liberté du verbe et du caractère qui font de l'aumônier le complice de tous les combats. Celui de Taza, le père Bertrand, réussissait à me faire rigoler malgré le sternum fracturé, et aussi quatre côtes, dont une qui taquinait un poumon. Pourtant on ne plaisante pas avec de telles lézardes dans la carcasse, qui branle sur une simple chiquenaude. Certes, j'étais étroitement momifié, mais respirer est déjà une telle souffrance qu'on fuit la tentation de blaguer.

« Si tu tousses, éternues ou pleures, ce sera encore pire, m'avait dit l'aumônier. Puisqu'il s'agit d'un moindre mal, prends donc le parti d'en rire. »

J'étais bien mieux entouré, à l'hôpital de campagne de Taza. Pourtant, nous étions une vingtaine sous la même tente et nos souffrances, d'être voisines, engendraient parfois des drames. Car la mort passait de temps à autre dans un glapissement ou sur un soupir. J'ignorais alors qu'elle avait une gueule de raie. C'était fin 1955, en novembre, lors des dernières convulsions de l'indépendance marocaine. Un digest de guerre du Rif mettait en scène, dans un décor aride et tourmenté de western, des troupes encore obsédées par la rizière et la jungle indochinoises, leurs pièges, leurs vices, leurs férocités et leurs passions. Au mess de Taounate, un capitaine rencontré naguère à Dien-Bien-Phu m'avait démontré la persévérance des politiques dans la connerie et des militaires dans la veulerie. Il était temps, rageait-il, que ceux-ci bottent les fesses de ceux-là. Ce nouvel épisode d'une guerre des ombres — amorcée hors la loi, pour certains, dans les maquis de France, et poursuivie, depuis lors, au nom de la loi, de la mer de Chine aux confins du Sahara —, se jouait ici sur des crêtes croulantes aux caillasses traîtresses, au repli de défilés taillés pour les embuscades, dans l'âpre complexité d'une montagne à traquenards, couleur de pain brûlé comme la djellaba et la peau des fantômes squelettiques qui la hantaient. La nuit, ils en étaient les maîtres et, le jour, il fallait les extraire des pierrailles, les extirper des gorges, les traquer à la pointe des éperons, pour la sécurité des liaisons.

Ce matin-là, une solide unité de la Légion étrangère ouvrait la route de Taounate à Boured, via le coupe-gorge de Beni-Oulid. Elle assurait, en outre, un convoi de ravitaillement, avec la relève des petits postes du parcours. Quatre autos-mitrailleuses protégeaient ce convoi d'une vingtaine de véhicules, et j'étais en plein milieu, à bord d'une jeep-radio toute frétillante d'antennes. Le soleil levant commençait à flatter les croupes de quelques touches de fard, quand nous nous étions engagés au ralenti sur la route entaillée dans l'abrupt. Sur le glacis du vieux fortin, déjà marqué au fer et au feu lors de la première guerre du Rif, erraient des goumiers en sentinelle, frileusement rétractés dans leurs djellabas au capuchon rabattu. Ils chaloupaient comme des pingouins, plus exactement des manchots, leurs cousins. L'auto-mitrailleuse d'avant-garde réglait une allure prudente et attentive. Elle flairait chaque virage dans le vertige de la gorge et, vue de l'arrière, semblait sonder, de son arme ombrageuse, l'escarpement pelé qui nous surplombait. Les regards s'aiguisaient au fil de la crête, au point de voir, parfois, les rochers s'émouvoir. Le danger ne pouvait monter des profondeurs du ravin, où l'oued thé-au-lait, que mordoraient par plaques des éclaboussures de soleil, rejaillissant de roche en roche depuis les sommets, ressemblait à une monstrueuse peau de serpent, abandonnée sur un lit de rocaille, à la saison des mues. De plus, on dominait encore le versant opposé, miteux et mité, où quelques touffes d'épineux composaient des motifs d'existence pour biques increvables. Malgré le qui-vive qui scellait les langues, j'en fis tout haut la remarque.

« Ici les buissons marchent », dit mon chauffeur avec une intonation slave.

Nous avions creusé plus qu'à demi la gorge et la route dégringolait mieux à son aise. Les virages plongeaient moins brutalement sur le vide et l'arête émoussée d'un contrefort s'évasait vers nous en forme de spatule. Nous approchions d'une combe cuivrée, bossuée comme un fond de vieux chaudron. Mirage ou reflet, elle me parut bassinée par une résurgence d'oued. Comme je m'accrochais au pare-brise pour me dresser, il y eut, au ras de moi, un bref piaulement de balle qui fait mouche. Le chauffeur tressauta, puis se tassa sur le volant. Folle, la jeep s'emballa, percuta contre l'automitrailleuse qui nous précédait, fit un tête-à-queue et piqua en contrebas. Au souvenir de ce carambolage, se superpose la répugnante vision d'un gros scorpion noir, queue en bataille, jouant les funambules au-dessus de mon visage, sur le fil d'une dalle instable. J'étais coincé sous un éboulis, contre le rocher. La roue arrière droite de la jeep renversée pesait sur ma poitrine. Une mitrailleuse piquait par à-coups le temps et l'espace. Ses hésitations ponctuaient les derniers soubresauts de l'embuscade. Dans ses silences montait la mélopée des plaintes avec, en solo, une voix de chef réglant la remise en ordre. Le souffle court, je ne pouvais crier tout haut. La quête d'une assistance me rendit mon chauffeur. Un bras noué au volant, il pendait la tête en bas, à portée de ma main. La jugulaire avait glissé sous son nez et, d'un trou entre les deux yeux, le sang gouttait dans son casque, avec la monotonie d'un robinet qui perd.

Masqué par la jeep qui m'écrasait, je fus relevé, dernier des blessés, avec les neuf tués de l'accrochage. Le légionnaire qui me découvrit avait jodlé sa surprise pour attirer du renfort.

« Sans aucun doute les salopards t'ont cru mort, me dit-il en un français assaisonné de raucité germanique. Tu as basculé chez eux. Ils flinguaient à la fois de la croupe et de l'oued. Tu pouvais en avoir plein la bouche, comme les paras du col de Nador. »

Il relança ses vocalises afin d'activer les secours. L'écho s'en gargarisait en fond de gorge. Cette affaire du col de Nador, je l'avais vécue la semaine précédente. Ils étaient cinq gaillards, des durs, partis en corvée d'eau au soleil levant. Quand on s'inquiéta de leur retard, on les trouva, sous la cascatelle de la source, égorgés, émasculés, gavés avec leur sexe. Quand il m'arrive d'avouer qu'une tyrolienne me prend aux tripes, on trousse parfois, autour de moi, une fine bouche. Je ne peux faire grief aux gens d'ignorer ce que l'on ressent, plus mort que vif, quand tout finit par des chansons, au cœur du Rif.

Cet hôpital de Taza était, lui aussi, réputé « léger » mais, avec ses toiles de tente léopardées, il avait bien plus de poids que la lourde et sombre caserne munichoise où, seule, Véronika apportait la chaleur d'un cœur et la tendresse d'une âme. Scrupuleux, majors et infirmiers semblaient faire, de chacun des cas, un problème particulier. La nouvelle ayant couru jusqu'à Rabat qu'un journaliste était tombé dans l'embuscade meurtrière de Beni Oulid, le roi Mohammed V, tout récemment rentré d'exil, m'avait envoyé son médecin personnel, le docteur Dubois-Roquebert :

« Sa Majesté se souvient de vos articles véhéments contre son éloignement forcé à Madagascar. »

C'est la seule fois de ma vie qu'un souverain daigna m'honorer de son souci. Mais il y avait aussi, à Taza, une reine, Dolorès, superbe créature du pays, née de père espagnol et de mère Geznaïa, la plus farouche tribu du Rif. Elle était veuve d'un sous-officier de tabor, anéanti par une mine sur les hauts plateaux d'Annam. Aide-infirmière dans une clinique de Fès, elle faisait de son volontariat en zone opérationnelle un gage de fidélité. Sa précieuse connaissance de la langue, dans ses multiples dialectes, la vouait à des rôles délicats. Elle s'en acquittait avec ce tact suprême des êtres déchirés :

« L'existence, m'avait-elle dit, n'est faite que de malentendus.

— Même l'amour ?

— Même l'amour. On s'en aperçoit quand il ne reste plus que le souvenir. »

Je suis encore incapable de savoir si Dolorès charmait d'instinct, à dessein, ou en toute innocence. Elle allumait le désir. Elle affriandait, mieux, elle faisait griller d'envie, elle affriolait. Mais sans jamais se départir d'une distinction sauvage qui désarmait les plus intrépides. Sans doute, pour cette beauté inapprivoisée, l'amour avait-il été un malentendu. Un malentendu loin d'être dissipé. La fascination de Dolorès, je l'avais retrouvée, avec sa sensualité et son mystère, dans une élégie de Federico García Lorca : « ... Telle un encensoir empli de désirs, Tu vas, dans le soir lumineux et clair, Avec ta peau brune où le nard se fane. Et, dans le regard, tout l'appel du sexe. Sur ta bouche, on voit la mélancolie de pureté morte... » Lorsque, pour ma première sortie de convalescent, elle assurait mes pas, je la glissai à son oreille. Sans attendre la fin, elle m'avait abandonné au seuil de la tente, pour clouer le bec de ceux qui, dans notre dos, gouaillaient. Elle n'était pas revenue me chercher. Au couchant, le décor incandescent avait le lustre miroitant d'une laque rouge. Et le point d'exclamation d'un cyprès, dessiné à l'encre de Chine, semblait y borner le bout du monde.

Au fond, mes stages dans les hôpitaux « légers » provenaient de malentendus, l'un avec les intraitables Rifains Geznaïa, lancés dans le baroud sur le quiproquo tradition-révolution, l'autre avec un bon gros Allemand, qui avait tout bonnement confondu vitesse et précipitation. Elle avait raison, Dolorès, il en va bien ainsi de la plupart des choses de la vie. Et je flottais ici dans l'équivoque, même avec Véronika. En ce second matin, elle paraissait cependant plus délurée, presque effrontée. Elle était restée à mon chevet pendant la double opération thermomètre-suppositoire.

« Vos plaies ont coulé, dit-elle en caressant le sommet de ma tête. Le sang imbibe vos pansements. »

Elle était navrée de ne pouvoir les refaire :

« Seul le docteur doit vous toucher. »

Un sourire triste plaidait le pardon de son impuissance. Assise sur le lit, elle m'avait pris le pouls, pour justifier sa présence et se donner une contenance. Mais elle n'avait pas relâché ma main, et nous étions restés un long moment sans mot dire. Je sentais, de temps en temps, les tremblements de ses doigts, qui trahissaient les émois de sa songerie. Sa poitrine un peu forte et ses flancs grassouillets claquaient sous la sangle du soutien-gorge sombre. On voyait le dessin gaufré de son slip assorti, sous la blouse blanche de nylon-calque. Elle ne portait rien d'autre. Je m'aperçus qu'elle avait fermé la porte de la chambre. Pour toutes les raisons, et d'abord ma crainte du mouvement, je décidai d'être l'exception sérieuse confirmant la règle de la frivolité française. Bien m'en prit, car un piétinement de bottes déferla soudain dans le couloir. Lâchant ma main, Véronika sursauta :

« L'armée ! » gémit-elle.

La déception et le dépit ajoutaient à son embarras. Elle s'était levée, face à la porte, ne sachant si elle devait se précipiter au-devant de la troupe ou l'attendre sur place afin de mieux assurer ma protection. Car c'était, à mon égard, son dernier rôle.

« Rien ne peut se décider sans la présence du docteur », assura-t-elle pour affermir sa résolution.

Claquant portes et talons, la soldatesque s'installait à grand renfort de gaudrioles. Elle envahit l'étage, puis en entreprit systématiquement le ratissage. Une voix de basse, creuse comme un écho de caverne, enflait des ordres ridicules pour leur donner l'ampleur d'une stratégie. Un sous-fifre les répercutait en fausset vers le fond du couloir, et ce duo comique, du genre tourlourou — numéro classique mis au point dans son « Lutrin » par Boileau —, nous divertit, le temps de nous préparer à l'occupation. Véronika m'assista dans mon lever pour la dernière fois et me bichonna avec le fond du flacon de « 4 711 ». Elle ouvrit la fenêtre. Chauffé à blanc, le soleil perçait enfin, à travers une brume molle qu'il dissipait en fumeroles. Lorsqu'il fondit sur nous, dans des vapeurs soufrées, énorme et insolent après sa longue absence, Véronika le reçut en ces termes :

« Voici, qui vient vous chercher, votre soleil du Midi. »

J'avançai qu'il était toujours préférable d'aller au-devant des militaires plutôt que de paraître se dérober à leur approche. L'aplomb, chez eux, est l'antidote de la suspicion. J'avais une certaine expérience des désagréments que l'on retire d'une situation interlope aux yeux de l'armée. Sur mon livret militaire, est toujours mentionné : « Sait un peu lire, mais pas écrire », jugement sans appel après une prétendue insoumission, dont je n'avais évité les contrecoups qu'en faisant — de la façon la plus naturelle du monde — l'âne. Mon apparition, la cagoule sanguinolente, suspendit sur-le-champ le grand chambardement. Tout le matériel devait être compté, vérifié, couché, maintenu ou déplacé, le cas échéant réformé. Mais nul ne s'attendait à se heurter, parmi le mobilier, à une présence humaine. J'échappais à l'objectif des manœuvres et disputais le droit d'occupation. J'imposais une correction de stratégie que ma qualité d'étranger rendait très délicate. L'esprit d'initiative ne caractérisait pas l'officier à la voix caverneuse. Véronika parvint à négocier, pour ma chambre, un statut provisoire d'enclave, ce qui l'accréditait comme plénipotentiaire, aussi longtemps qu'il ne serait pas statué sur mon sort :

« L'armée vous tolère aujourd'hui mais se refuse à vous connaître. Comme elle a repris possession de l'hôpital, vous n'êtes plus, administrativement, sous notre contrôle. J'ignore à quel moment passera le docteur. Prenez donc votre petit déjeuner au complet, car vous n'aurez sans doute plus de ravitaillement de la journée. »

A quoi peut-on songer, dans ma situation, en mastiquant une mortadelle caoutchouteuse et fade, sinon à la fatalité, au sens que lui donnait Albert Camus, de « scandaleux état de fait » ? Khâgneux au quartier Latin, je manifestai, en ma dix-septième année, contre « le coup de Prague », le premier, et l'abdication, à Munich, de Daladier et Chamberlain devant Hitler et Mussolini. Je fus deux fois rossé, malaxé, enfourné dans un panier à salade, puis jeté au bloc pour la nuit. Avec l'invasion, j'avais été contraint de quitter Paris et de parer au plus pressé pour mon avenir. C'est alors que la Wehrmacht, par excès de curiosité, m'avait relégué dans la clandestinité, où la drogue du nomadisme et un certain mépris du risque m'aiguillèrent vers une nouvelle destinée. Celle qui, d'aventure en aventure, me conduisait ici, à l'occasion du rassemblement de la plus athlétique jeunesse du monde, sur les collines artificielles de l'Oberwiesenfeld, fertilisées aux cendres humaines. Une jeunesse, Dieu merci, ignorante des errements de ses aînés et qui, par-dessus le marché, s'en moquait. Or, en ces lieux où, un tiers de siècle plus tôt, Chamberlain et Daladier débarquaient devant Hitler et Mussolini, j'avais encore été rossé, crossé, malaxé puis, cinq jours après, expédié *ad patres* avec sursis. Et, par volonté d'ignorance cette fois, la Bundeswehr me renvoyait à nouveau dans la clandestinité. Je traînais donc cette hypothèque munichoise sur ma vie comme une séquelle de la malédiction qui, par la guerre mûrie ici même, avait, aux quatre coins de la planète, si tragiquement affligé ma génération. Mais je ne me sentais aucune vocation pour un rôle de victime expiatoire, destinée au rachat des forfaits du passé ou à la rémission des violences du présent, dont Munich venait d'être, une fois de plus, le théâtre choisi. J'étais le dernier otage, celui que l'on pouvait laisser crever dans la solitude, au secret d'un hôpital. Et il me prit une envie instinctive, animale, de fuir cet asile trompeur, antichambre d'un inéluctable malheur et la cité où trop d'innocents déjà, aux fours crématoires ou sous les bombes incendiaires, s'en étaient allés en fumée.

Je commençais à m'habiller, machinalement, comme sous hypnose, lorsque Véronika revint chercher le plateau du petit déjeuner. Elle s'étonna :

« Le docteur est passé ?

— Non. Mais, cette fois, je veux vraiment m'évader. »

Elle s'empressa :

« Je vous en supplie, ne partez pas sans autorisation.

— Je m'en moque, puisque personne ne s'occupe de moi. »

Elle menaça :

« Je vais appeler l'officier.

— Ça ne le regarde pas. »

Elle câlina :

« Vous ne pouvez me faire ça.

— Vous ne devriez plus être là.

— Soit. Je m'en vais aussi.

— Attendez-moi. Votre compagnie facilitera ma sortie. »

Je lui fis toucher du doigt mes nippes de traîne-misère, le slip encroûté de sang caillé, le pantalon lacéré, le blouson souillé comme un sarrau d'abattoir. Et mon polo, qui ressuait encore, en le tordant, une humidité rosée.

« Je ne veux pas vous compromettre. Laissez-moi partir seul... »

Elle m'avait aidé à revêtir mon accoutrement, multipliant les manœuvres dilatoires afin de me faire revenir sur ma décision. Elle s'offrait à négocier le prêt de la chemise de nuit pour m'éviter de circuler torse nu sous le blouson, elle s'avisait de recoudre les déchirures du pantalon, elle dramatisait la gravité des hématomes qui violaçaient ma jambe gauche :

« Vous ne pouvez aller loin dans cet état.

— J'ai couru, au rugby, malgré des coups plus rudes. »

Je crânais, mais ne pouvais dissimuler les affres de cette enclouure à la nuque, sans cesse ravivée par la gymnastique de l'habillage et fouillée à chaque pas. Les pansements, qui collaient aux plaies, tiraillaient, et j'en étais agacé.

« Plus qu'une faute, vous allez commettre une imprudence », insista Véronika.

Elle me manœuvrait, nerveuse, comme on fagote un gosse, et m'avait fait asseoir pour me chausser. Agenouillée à mes pieds, elle ouvrait sa gorge sous mes yeux. Véronika avait hésité sur l'envers et l'endroit des socquettes, longuement dénoué les lacets de mes chaussures de sport, trimé avec ma cheville tuméfiée. Elle flairait que ses évolutions — à genoux, à quatre pattes, à croupetons — m'aguichaient. Egarant ainsi mes pensées, elle gagnait du temps. Et il me déplaisait moins d'en perdre :

« Chez nous, quand on a rencontré l'homme ou la femme de son goût, on dit que l'on a trouvé chaussure à son pied... »

La réplique ne traîna pas :

« Ce n'est donc pas votre cas, puisque vous brûlez de vous en aller... »

Je relevai son visage :

« Adorable Véronika... »

Elle crut devoir s'expliquer :

« Je sais que, de toute façon, vous partirez. Mais, dans votre intérêt, je souhaite que ce soit comme il convient. »

A travers mon bandage sa main fit passer dans ma nuque un fluide tiède qui coula sur mon mal comme un baume. Il était temps que nous échangions un baiser... En civil, le chirurgien n'avait plus la même allure. Il lui manquait ce cachet mâle, fût-il celui d'un officier d'opérette, que lui donnait son uniforme fantaisie. Et le costume havane de drap fin, veste pincée à gros carreaux de paille, pantalon uni, le rejetait dans le ridicule des minets prolongés. Il me fixait, surpris de me trouver sur le départ, avec mes frusques de ruisseau et mes pansements poisseux. Il devinait que j'étais sur pied de guerre. Car si je ressemblais à un sujet de Cour des Miracles, infirme d'occasion grimé au noir de bouchon et au jus de groseille, j'avais aussi la bille patibulaire d'un compagnon en truanderie, prêt à refaire sans vergogne ce médicastre qui se payait ma tête. A peine interrogea-t-il Véronika sur la raideur de mon cou que je prenais les devants :

« Rechts... Links... ? Je peux très bien le faire en France sous contrôle médical sérieux... »

Ma détermination l'impressionna :

« Avez-vous des marks pour régler la note d'hôpital ?

— Oui.

— Je vais préparer votre dossier de sortie. »

J'arrêtai sa pirouette :

« Mes pansements n'ont pas été renouvelés depuis mon arrivée ici. »

L'ennui de me tripoter se lisait sur son visage :

« Si vous permettez, Véronika les changera... »

Ma suggestion le cingla :

« Suivez-moi... »

Dans un coin de la salle d'opérations, qu'inventoriaient les militaires, il remplaça ma cagoule de terroriste par un ensemble de style targui, qui dégageait le visage et seyait mieux à mon physique mais, trop souple, il avait pour ma tête instable et mon cou enferré, de douloureuses complaisances. Puis, m'entraînant dans un bureau voisin, il dicta un certificat circonstancié décrivant mes blessures, les soins, et soulignant tout net, sous contrôle radiographique, l'absence de lésions osseuses au crâne et à la colonne cervicale. En conséquence, sauf complications imprévues, un repos de deux semaines suffisait, à son avis, pour confiner ma mésaventure au rayon des bricoles de la vie. La vertu de la chose écrite, à laquelle j'ai toujours ajouté foi, transforma le soulagement de ma libération en euphorie. S'il ne changeait rien à mon malaise physique et à ses cruautés, ce document incontestable, signé, estampillé, et sous garantie d'un établissement hospitalier, me guérissait moralement de mes inquiétudes. Je ferais naturaliser une gueule de raie pour mon tableau de chasse, et au diable la thèse du docteur Jean sur les traumatismes du crâne et du rachis cervical. Dans mon emballement, je décidai d'inviter Véronika à dîner. On verrait pour la suite à donner. Les soldats nettoyaient déjà ma chambre. Je me hâtai vers l'infirmerie. Un militaire inspectait l'armoire à pharmacie :

« Véronika ?

— Partie.

— Où ?

— Elle a signé le registre de service et emporté ses affaires... »

Flottaient encore quelques effluves de « 4711 ». Je redescendis à la salle d'opérations. Le docteur paraphait l'inventaire :

« Véronika ?

— Pourquoi ?

— La remercier et lui dire au revoir.

— Je ferai la commission.

— Puis-je avoir son adresse? »

Il coupa court et prit la porte en grognant :

« Ces Français, tous les mêmes ! »

Véronika le disait avec une pointe d'admiration craintive, lui, avec une aigreur chauvine. Je lui en veux, aujourd'hui, moins d'avoir disposé avec désinvolture de ma vie que de son embargo sur Véronika. L'une, selon la règle du jeu imposée par les circonstances, lui appartenait, l'autre pas. A moi non plus. Mais ce séducteur de cabinet qui en était, chez lui, à une fesse près, bafouait le « donjuanisme de voyage » dont j'étais si jaloux, car il nourrit le rêve par la poursuite toujours recommencée des découvertes. T'serstevens, dans « Le Tenorio », en cerne la nostalgie : « Quand il lui arrivait de penser aux femmes des pays lointains, aux régions qu'il ne visiterait jamais, aux mondes inconnus et à toutes celles qui les peuplent, il sentait l'envahir la mélancolie de l'infini, comme un savant en face de l'univers des livres. » Après tout, Véronika n'était que l'incarnation momentanée d'une insaisissable maîtresse, l'aventure. Avec elle, on ne trompe personne, car elle exige une telle passion soutenue, qu'elle exclut toute concession et tout partage, et qu'aux yeux de tous on s'y découvre tôt ou tard à nu. Pour m'accaparer sans réserve, elle venait d'éliminer jalousement, dans l'anonymat, les protagonistes de mon accident, le bon gros coupable, le témoin blondinet et l'infirmière amoureuse. J'étais à nouveau disponible.

La préposée à la comptabilité s'était fait une beauté outrancière de houri, cheveux de jais forcé, rabattus en aile vernissée de corbeau sur les oreilles, et ramassés en chignon sur la nuque par un large peigne d'écaille ajouré, yeux verts abusivement peints, allongés et soulignés au khol, bouche accentuée par un gribouillage au carmin. Des girandoles en toc, accrochées aux oreilles comme des grappes de raisin, tombaient jusqu'aux bajoues, dont un collier à quatre rangs de perles, trop grosses pour être vraies, semblait enrayer la dégringolade. Elle portait une robe tapageuse aux demi-manches bouffantes et au large décolleté carré. Ses poignets cliquetaient de bracelets. Ses mains manquaient de doigts pour les bagues, et un clip doré, perroquet à l'œil de vif émail, était perché à l'entrée, un peu basse, de la poitrine. Petite, boulotte, elle rehaussait sa chaise d'un gros coussin à pompons, et ses jambes rondes et potelées ballaient sous le bureau. Ainsi surchargée des attributs d'un folklore bâtard exotico-bavarois, elle étudiait son port de tête et ses moindres gestes. Elle avait un côté poupée mécanique. Elle m'accueillit en espagnol :

« *Buenos dias — Como esta usted ?*

— *Muy bien.* »

Très bien, c'était une façon de parler. Je précisai ma nationalité. Elle la connaissait, mais puisque ma fiche me domiciliait à Toulouse, il n'y avait plus, pour elle, de Pyrénées. Son bagage, dans la langue de Cervantès, rassemblait une centaine de mots. Il suffisait à son bonheur :

« Je vais, chaque année, passer mes congés sur la Costa Brava, à Lloret-de-Mar. »

J'avais maintes fois fouillé Lloret comme le fond de ma poche et l'évocation exacte des lieux, où nous nous suivions à la trace, noua bientôt, à distance, une de ces complicités de vacances qui poussent très vite aux confidences. Je les sentais venir à mesure que son agitation devenait fébrilité.

« Aimez-vous la sardane ? me demanda-t-elle.

— Si fort que j'ai appris à la danser. Précisément à Lloret, sur les ramblas, devant la mairie. »

Elle s'épanouit. Le carmin des lèvres déteignait sur les joues :

« Vous connaissez alors le joueur de " flabiol " de la "cobla"... »

Je n'avais pas le droit de briser le ravissement auquel elle s'abandonnait. Mais oui, je le connaissais cet enchanteur qui, avec son « flageolet d'un sou », regroupait, au chant du rossignol, les danseurs de tous âges. Il me semblait même le voir, coiffé de la traditionnelle « barretina ». Elle chantonnait « La Santa Espina » — L'Epine Sainte —, cet hymne de la fierté catalane. Je pianotai l'accompagnement sur le bureau et enchaînai avec « Le sautillement du Chardonneret ». Parcouru de grands frissons voluptueux, elle sautillait aussi sur sa chaise. Elle était à point pour la confession.

« Vous le connaissez bien, le joueur de " flabiol " ? »

Elle hocha lentement la tête de haut en bas, l'œil trouble, la paupière lourde :

« Je suis partie de là-bas il y a quinze jours. La veille, comme dernière danse, il a choisi " Je pleure pour toi ", dit-elle d'une voix sourde.

— *Per tu ploro...* " Malheureux celui qui s'en va... Plus malheureux encore celui qui perd l'amour " chante cette sardane. »

C'en était trop. Malgré son souci de ne pas diluer son fard, elle se laissa aller, le visage au creux de ses bras et pleura sur mon dossier de sortie. Ses larmes sont ainsi entrées dans mon histoire, car elles ont bavoché un peu partout, comme de grosses gouttes de pluie.

« Il y a du monde dans le couloir. Je ne voudrais pas que l'on se méprenne... »

Elle se ressaisit, le cœur gros, prêt à éclater. Il était bon, pour elle, et pour moi aussi, que je le mette en perce :

« Le joueur de " flabiol " est votre ami...

— Oui.. Depuis quatre ans... Jusqu'alors j'étais irréprochable... Veuve de guerre, je ne puis me remarier par fantaisie. Je perdrais ma pension et mon emploi privilégié dans l'administration militaire. Blessé lors d'un attentat terroriste en Belgique, mon mari, officier, se croyait définitivement réformé. J'avais dix-huit ans, lui trente-quatre. Nous sommes restés ensemble à peine six mois. Avec la débâcle en Russie, on a raclé les fonds de tiroirs. Il n'est jamais revenu. A son départ, je savais que je ne le reverrais pas. On n'envoie pas à la guerre des gens à demi étripés et dont le cœur bat la breloque... J'ai tenu vingt-cinq ans, je vous le jure. Un été, des amis, jugeant que je ne vivais pas, m'entraînèrent à Lloret-de-Mar. Antonio gère, derrière le port, la petite cave où l'on boit sur des tonneaux. On y est allé un soir, par curiosité... Il m'a eue au " Morilès "... Je ne le regrette pas... Mais ici, je ne bouge pas... J'ai mes devoirs de veuve... Vous, vous êtes de là-bas... Vous comprenez... »

Rassérénée par cette évocation, elle retoucha le dessin de ses yeux et celui de ses lèvres, avant d'expédier mon affaire.

Il manquait je ne sais quelle pièce au dossier. Elle passa outre. Elle ne pouvait chicaner car, sur la portée des formulaires administratifs, le joueur de « flabiol », mon copain, modulait en sourdine. Le perroquet, un instant agité, retrouvait son aplomb. Elle se réinstallait peu à peu dans sa routine : onze mois de culte officiel du mari disparu, comme on ranime périodiquement la flamme d'un soldat inconnu, et le douzième, clandestin, pour le serpent fasciné par un flageolet catalan et pour se saturer d'amour. Dérision que les choses de la vie, qui ne résistent pas à l'absence. C'est la faute absolue. Que fait Hélène, avec ses yeux violets, depuis que Pierre Delhomeau n'est plus ? « Malheureux celui qui s'en va... Plus malheureux encore celui qui perd l'amour... » Le pire, c'est de perdre l'amour en s'en allant. Tout a ainsi sombré pour Hélène, par le malentendu d'une lettre. Ses yeux taris se fanent dans la sécheresse. « L'œil est la fenêtre de l'âme », disait Léonard de Vinci. Il lui faut le lustre des larmes. La pire des douleurs naît des pleurs que l'on ne peut verser et qui ne le seront jamais.

J'avais payé... Je baisai la main baguée de la veuve migratrice, qui va roucouler, en août, aux rivages sang et or où « la lune chante avec le soleil ». Ses paupières de laque noire papillotaient.

« Adios », dit-elle.

« Adios. »

Je n'avais pas encore fini de payer. Je sais, maintenant, que l'on souffre davantage des larmes que l'on attend et qui font défaut que sous la torture charnelle du plus démoralisant des maux...

MA dégaine de clochard ne revenait pas aux chauffeurs de taxi. L'étonnement immobilisa celui qui avait daigné ralentir. Il me fit répéter :

« Exactement. Le Centre de Presse Olympique.

— Journaliste? »

Mon insigne officiel le convainquit à demi. Le trafic des macarons n'était pas le moindre négoce des Jeux. Une liasse de marks négligemment froissée d'une poche à l'autre se révéla persuasive. Mais il me guettait dans le rétroviseur et, pour motiver sa surveillance, engagea la conversation :

« Vous êtes blessé ?

— Oui.

— Vous venez de l'hôpital ?

— Oui. »

Je le vis perplexe. On épuisa le chapitre de la météo et je lui dis bien supporter le foehn, car j'étais accoutumé chez moi au vent d'autan. Il conduisait nerveusement, avec des accélérations saccadées et des freinages brutaux, dont la répétition ébranlait ma tête.

« Pouvez-vous rouler plus doucement, s'il vous plaît ? Les secousses sont très pénibles... »

Il obéit avec un coup d'œil peu amène. Mine de rien, il obliqua peu après, au ralenti, vers deux policiers paisibles qui déambulaient au long des trottoirs. Je ne sais comment il les alerta. Tirés de leur indolence, les deux flics le sommèrent d'arrêter et se postèrent aussitôt de part et d'autre du taxi. Surpris, je saisis mal le bref dialogue entre l'un d'eux et le chauffeur. Mais le second, ouvrant aussitôt la portière arrière, s'assit de biais à mes côtés, pistolet au poing :

« Vous parlez allemand ? » gronda sèchement le premier, demeuré à l'avant.

« Oui, il le parle ! témoigna le chauffeur. Et il le comprend bien.

— Vos papiers ! »

J'exhibai à nouveau mon insigne. Avec le turban et son espèce de litham, le collet plutôt monté qui enserrait ma gorge, la barbe qui commençait à dévorer mon visage, ma ressemblance avec la photographie n'était pas évidente :

« Passeport, carte d'identité !

— Ils sont dans ma chambre, au Centre de Presse.

— Pourquoi pas sur vous ?

— Parce que, jusqu'à présent, dans le cadre des Jeux, mon macaron suffisait en tous lieux. Accompagnez-moi, vous vérifierez.

— Je pense plutôt que vous allez nous suivre.

— Je vous assure que je suis un journaliste français ! »

Le canon du pistolet me rappela à l'ordre. Le flic de dehors étirait l'antenne de son petit poste émetteur-récepteur. Mon allergie au processus policier m'inspira :

« J'ai des preuves sur moi.

— Lesquelles ?

— Mon dossier de l'hôpital. »

Méfiant, le flic de dedans fouilla lui-même la poche intérieure de mon blouson. Les documents étaient irréfutables.

« Allons donc maintenant nous expliquer ! » dis-je.

L'un rengaina son pistolet, l'autre sa radio. Et tous deux s'en prirent au chauffeur, qui les avait fourvoyés. Il agita le journal du soir qui titrait sur la largeur de sa première page : « Un des terroristes blessés s'évade de l'hôpital. » Il s'agissait de l'un des survivants du sinistre commando palestinien qui, jour pour jour, une semaine avant, avait noyé les Jeux dans le sang. Avec ou sans pansements, ma binette était bien celle d'un métèque, puisque la méprise se répétait dans ce laps de temps. Et il y avait mon propre aveu devant le chirurgien lorsque, coiffé de la cagoule, je m'étais étonné tout haut de la ressemblance. Des badauds s'attroupaient autour du taxi. Les flics, au garde-à-vous, allongeaient des mines déconfites. Toujours imbu du sage principe que l'on ne doit jamais jouer au plus con dans la vie, je n'exploitai pas l'erreur. J'étais pressé aussi de regagner mes pénates. Le chauffeur, penaud, plaidait sa bonne foi :

« Rien ne prouvait que vous n'étiez pas lui... Or, si vous aviez été lui... »

Je le sommai d'honorer sa course, et intimai l'ordre aux flics de faire dégager la rue. La voiture se frayait un passage parmi cent têtes baissées qui me dévisageaient. On s'interrogeait tout haut sur cette autorité blessée, en guenilles, que saluait la police, une police pas encore remise d'un affolement dont le monde, sidéré, avait été le témoin. Le chauffeur ne savait comment escamoter sa gêne. Il mit en sourdine la radio, espérant que la musique détendrait l'atmosphère. Il pilotait avec des précautions rares, attentif à mes réactions et prodigue de sourires. Je lui en rendis un, gage de paix, dans le rétroviseur :

« N'en parlons plus. J'en ai vu d'autres. »

Il s'enhardit aussitôt jusqu'au reproche :

« Si vous m'aviez dit que vous étiez Français, ça ne serait pas arrivé. »

Et il ajouta dans notre langue :

« Je vous demande pardon. »

Je m'étonnai qu'il la connaisse. Il ne mâcha pas ses mots :

« Pendant la guerre, j'étais le chauffeur d'un officier d'état-major de Rommel en Normandie.

— Hitler et Napoléon ont fabriqué plus de polyglottes que toutes les universités allemandes et françaises de leur époque. »

Il confirma, en dévidant un chapelet de mots russes et italiens :

« Je suis allé aussi à Kiev et à Benghazi.

— Jamais blessé ?

— Jamais... Et vous ?

— Il y a deux jours, par une " Mercedes "... A bout touchant. A présent, la voiture remplace avantageusement la guerre... »

Nous étions sortis de la ville et il mettait le cap sur la fameuse tour, qui tenait à la fois de la fusée cosmique et de la seringue surréaliste pour paradis artificiels. Il haussa la tonalité du poste pour le bulletin d'informations de quinze heures. Il apportait le démenti officiel le plus catégorique à la prétendue évasion d'un terroriste palestinien. En Allemagne, comme en France, un démenti équivaut à une double négation, c'est-à-dire une affirmation renforcée :

« Je n'avais pas tort de me tenir en éveil ! » triompha le chauffeur.

« Le prochain sera le bon. Nous ne devons pas être nombreux à courir les rues dans mon état. »

Je retrouvais, soulagé, le cadre excentrique dans lequel, un mois plus tôt, je m'étais installé avec cette avidité de jouissance excitée par l'attente d'événements exceptionnels qui ajoutent les sensations aux sensations, les souvenirs aux souvenirs, et la satisfaction de cette moisson à toutes celles qui font la fortune de l'existence. Même la sépia de ma mésaventure ne détonnait pas dans une galerie où chaque tableau m'aidait à revivre. Je m'insérais à nouveau intimement, comme si je ne l'avais jamais quitté, au sein de l'ensemble futuriste jailli entre des gazomètres et des cheminées d'usines, un gigantesque dépôt de ferraille et d'insolites pâturages. J'éprouvais même des chocs inédits. A croire que mes surprises premières étaient gommées sur ma mémoire neuve. Je m'étais attardé au Village pour l'achat d'une montre. Devant les pyramides tronquées, je connaissais l'émerveillement qu'eût éprouvé Cortez si, au matin de sa « noche triste », il avait découvert le prodigieux ensemble cérémoniel de *Teotihuacan*. Aux portes du stade, sur les lieux de l'accident, j'en venais à imaginer que la fameuse cotte de mailles du toit avait été tricotée par l'aiguille de la Tour olympique, piquée tout près, dans les pelotes vertes de l'Oberwiesenfeld. Et lorsque le taxi me déposa, la Cité de la Presse m'apparut, dans son faux amoncellement désordonné, comme un jeu de cubes vitrés pour mendiants de soleil. Le plaisir de renouer ma liaison avec moi-même, de recommencer à bander avec le même entrain et une égale allégresse, cet enthousiasme, pas encore ravaudé malgré sa durée, m'insensibilisaient presque. Ebloui par l'éclat soudain de ma renaissance, j'abandonnai un généreux pourboire au chauffeur de taxi. Il manœuvra et, sur le départ, m'apostropha :

« Avouez que vous ressemblez à un Palestinien ! »

Il dérapa, l'air soupçonneux, sur ce satisfecit qu'il se

décernait. Je n'en avais cure. Palestinien ? Pourquoi pas ?... S'il s'agit de bousculer un monde figé ou préfabriqué...

Je ne connais pas de rassemblement de journalistes à sang froid. J'avais quitté le grand hall dans son intense fébrilité. Je le retrouvais semblable à un campement nomade, levé en pleine panique. Cernée d'appareils de télévision, la corbeille centrale, où s'échangeaient, hors du temps, les derniers tuyaux à la bourse de l'information, était jonchée de journaux froissés et déchiquetés, de godets de carton éculés, de sachets vides de chips, de maïs ou de bonbons, et autres paperasses et déchets, témoignant de l'incurie naturelle des communautés humaines en errance. On avait dégobillé, çà et là, le trop-plein des libations d'adieu. Quelques silhouettes rôdaient encore, dans un décor de débâcle, autour de ce dépotoir où je crochetais, en loqueteux, les souvenirs de ma propre présence. Au bar naguère inabordable, relâchaient seulement une douzaine de vieux loups de bistrot attardés, draguant des épaves de raccroc. Des visages me revenaient, déjà croisés aux divers ponts de notre bâtiment, lors de mes bordées nocturnes. Comme plusieurs donnaient de la bande, j'accostai à l'écart, presque en bout de quai. Le steward de service ne consentit à me servir un café que sur présentation de mon macaron de presse. Quand on ferme les bordels, le fretin des maquereaux simule le zèle dans l'application de la loi. Je demandai :

« Où est Bernard ?

— Vous le connaissez bien ? »

Mon assurance sur la personnalité du parangon des barmen impressionna l'intérimaire. L'occupation de mon tabouret n'était plus suspecte. Une volée d'hôtesses s'abattit au voisinage dans un frou-frou pervenche. Elles pépiaient sur des bagatelles. Les premiers jours, on s'était laissé prendre à leur petit air « enfant de Marie », d'autant qu'avec leur jupon bleu à bouillons, leurs chaussettes blanches et des dehors pudibonds, elles semblaient triées sur le volet parmi l'arrière-garde des patronages. En fait, bon nombre d'entre elles, plutôt enclines à une active figuration dans l'opéra de Mozart « Cosi fan tutte » — elles font toutes ainsi —, comédie désabusée sur la frivolité féminine, se convertirent promptement au fétichisme du sexe. Et les jeux de l'amour battaient leur plein bien avant que ne s'ouvrent ceux d'Olympie. Mes voisines appartenaient donc au dernier contingent de ces madelons frappées de démobilisation. Elles liquidaient les affaires dites courantes, et les nostalgies de ceux qui s'obstinaient à courir après. Le désœuvrement me valut leur intérêt, la révélation de mon accident leur sollicitude. Elles se disputèrent mes soucis : la déclaration à la compagnie d'assurances, la visite de ma boîte postale, la quête de journaux français, la réservation d'une place d'avion pour le lendemain soir. En retour, j'ouvris avec elles la série de tournées qui arrosèrent ce soir-là ma survivance. Car, au détail de mes ennuis, elles ramageaient à qui mieux mieux, à la manière de Madame de Sévigné, dans la surenchère du qualificatif qui plaçait ma chance — rare, inconcevable, extraordinaire, incroyable, prodigieuse, inouïe — au rang d'une exceptionnelle grâce divine.

Elle commençait à me fatiguer, cette chance. On s'appesantissait tant sur elle qu'elle devenait de plus en plus lourde à traîner. Peu m'importait que la bonne étoile fût une consolation de cocu, en quelque sorte une œillade céleste de la femme adultère. Puisque, selon les mythologies et les religions, on s'est toujours fort bien accommodé, là-haut, de la complicité des pécheresses, je n'avais pas à rougir, simple mortel, d'en profiter. Mais lorsqu'on s'étonne, implicitement, que vous ne soyez pas mort, que votre existence semble à autrui un abus, voire une inconvenance, quand vous sentez que l'on vous considère comme un surplus, un excédent, ça devient vraiment gênant, et même, à la longue, désagréable. Je fais du rabiot. Je le sais. J'en ai pleinement conscience. Mais je n'en éprouve aucune honte et je n'ai pas le sentiment d'être un cas. Alors, pourquoi me montrer du doigt, comme faisaient les filles à tous ceux qui venaient butiner sur elles ? Je m'allégeai de mon aigreur sur une hôtesse noiraude, qui outrait l'événement avec une telle emphase de mélodrame, que je crus qu'elle me daubait :

« Me feriez-vous reproche de ma présence ? Suis-je coupable de vivre parce que la mort n'a pas voulu de moi ? Parce que je parviens encore à dominer ma souffrance, n'imaginez pas qu'elle soit douce ! Non, ce n'est vraiment pas la peine d'arborer une jeannette pour se montrer si peu charitable !... »

Saisie, choquée, elle descendit, grave et froide, du tabouret où elle perchait. Elle dépliait l'une après l'autre, cuisses en écart, ses longues jambes en peau de chamois. Elle cueillit sa petite croix d'or au creux de la main gauche et posa l'autre sur son cœur. Sa poitrine était à peine voilée par un corsage de guipure blanche. Ses yeux couleur de mûre semblaient à facettes. Elle avait le visage tendu, nez pincé, bouche crispée, avec un discret rehaut de nacarat :

« As-tu seulement remercié Dieu de te tolérer encore sur terre ? » marmonna-t-elle.

Je ne m'attendais pas au tutoiement, encore moins à la semonce :

« Eh bien, je l'ai fait pour toi ! »

Elle portait de ces chaussures à talons épais, qui font aux femmes des pieds bots. Elle pivota dans le tourbillon de dentelle qui habillait un cotillon d'une autre époque et, sûre de son effet, traversa en ondulant le hall, sein pointé, taille cambrée, mollet leste. Quelqu'un dit qu'elle était Péruvienne et se nommait Amalia. Je balbutiai des excuses de convenance et mon état motivait d'office des circonstances atténuantes. Les hôtesses ne les discutaient pas, occupées à se chamailler sur la susceptibilité d'Amalia, son commerce et ses accointances. Elles s'accordaient seulement pour lui concéder un certain mystère, hérité, comme dans les romans, d'une ascendance indienne. Assise en amazone sur le guichet aveugle du bureau des renseignements, Amalia nous lorgnait, cigarette au bec, avec une superbe voluptueuse. Comme je serrais les mains pour prendre congé, le burinage de mon cou, où se gravait depuis trois jours ma douleur, se répercuta bizarrement à la saignée du bras droit. A mon départ de l'hôpital, personne n'avait songé à retirer l'aiguille fichée en pleine veine, pour les perfusions. N'ayant rien à perdre pour avoir tout retrouvé, un ressuscité se sent une âme de capitan. D'un geste sec, je me saisis, sans broncher, du carrelet oublié dans mon cuir par un bourrelier se piquant de chirurgie et en estoquai jusqu'à la garde, en plein berceau des cornes, un croissant qui traînait. Ma bravade fit tressaillir le bar et se pâmer des filles. Elles gloussaient avec un effarement de pucelles à la minute des révélations.

Intriguée, Amalia s'était précipitée. Bras tendu, je guidais le filet de la saignée vers la paume de la main. Il s'y répandit en suivant les lignes de chance, d'amour et de vie. Nul ne disait mot et je ne savais moi-même à quoi cela rimait de faire ainsi étalage de son sang. Amalia sauva d'instinct la situation. Elle avança sa main nerveuse et fine, aux doigts effilés, comme moulée dans l'airain, une main intelligente aux ongles discrètement nacrés, et qui parlait, effleura le sang du bout de son index et se signa. Puis, sortant de sa manche un petit mouchoir de linon brodé d'un « Quetzalcoatl » en soie émeraude, elle le chiffonna en pansement sommaire sur la piqûre et replia mon bras. Elle avait des paupières turquoise qu'elle ne leva jamais sur moi et repartit avec ce port des femmes disciplinées, depuis les origines, à accepter, sur leur tête, la charge des servitudes quotidiennes et le poids de la fatalité. J'étais le moins sidéré de tous car je connaissais maintes variantes du serment du sang chez les peuples de tradition nomade. Mais je comprenais mal le geste d'Amalia à mon égard. Et même après ce qui se passa entre nous, j'ai beau interroger le « serpent à plumes » du petit mouchoir de linon, il ne me livrera sans doute jamais le secret d'une exorcisation venue du fond rituel des Mayas. Lorsqu'elle disparut, gobée, dans une flambée de soleil par une porte vitrée à tambour, les autres retrouvèrent leur voix. Les loups de bistrot trinquèrent à nouveau du ventre, au quai où clapotait la bière, les hôtesses s'égaillèrent à travers le hall en un vol désorienté et l'apprenti barman vrilla sa tempe du doigt, avant de reprendre le rinçage des chopes.

Je ne me souvenais plus du numéro de ma clé. Certes, je pouvais rejoindre ma chambre les yeux fermés, mais l'oubli de sa combinaison chiffrée m'agaçait. Ce satané chirurgien m'avait pourtant prévenu : « La tête, monsieur, on ne tombe jamais dessus impunément. » Sans doute s'était-il désintéressé de moi parce qu'il n'y pouvait rien. On a beau recoudre soigneusement un crâne, il échappe toujours quelque trou de mémoire. A plus forte raison quand on faufile à la va-vite. J'avais beaucoup à faire pour remettre de l'ordre dans ma vieille tête chamboulée afin qu'elle ne trahisse pas l'autre, encore à la recherche de son équilibre. Je butai ainsi volontairement sur ma clé, irrité par cette première faille de ma mémoire. Elle m'exaspérait davantage que l'impuissance stupide à mettre parfois un nom sur un visage connu. Il me semblait que cette clé, avec son code, allait m'ouvrir tout grands les lendemains. Possédé de cette certitude, je parvins, non sans peine, à culbuter l'obstacle. Il suffisait d'un raisonnement si dérisoire que sa facilité même confirmait le trouble profond de mon esprit. Etant donné les numéros de l'immeuble, de l'étage, de l'appartement et de la chambre, j'obtenais le chiffre de la clé. Encore fallait-il s'en souvenir. Les sensations visuelles pallièrent la carence de la mémoire. Cinq, quatre, seize, un, c'était une heureuse combinaison de jeu pour ce prix de l'espoir où, au steeple-chase de l'existence, je m'engageais à nouveau.

L'armée assurait la surveillance et le service de la Cité de la Presse. Le corps de garde de mon immeuble était vide. Une demi-douzaine de clés, dont la mienne, pendaient au tableau. Les autres, démobilisées, attendaient, en rang, sur une table, de rendre leur matricule. La troupe s'affairait à déménager le cantonnement puisque nous venions d'essuyer les plâtres d'un ensemble déjà vendu, disait-on, à prix d'or. L'ascenseur était bloqué. Dans le bastringue qui cascadait d'étage en étage, je reconnus la voix de Karl. Il assurait, au quatrième, le rôle de valet de chambre. Premier occupant du bâtiment, j'avais fait de ce blond Wurtembergeois mon ordonnance. C'était l'un de ces paradoxes qui pimentent la vie. Deuxième classe confirmé, de l'active à la réserve, maintes fois puni pour indiscipline, j'avais assis mon autorité sur de solides pourboires et fait, en terre étrangère, d'un soldat du pays un mercenaire dévoué. Mes appels se perdant dans le boucan, j'entrepris l'ascension des quatre étages par l'escalier extérieur. Je n'ai pas contrôlé sa durée mais, à chaque balcon, je bivouaquais pour récupérer mon souffle et assurer mes prises.

Mon arrivée au sommet, dans le capharnaüm du palier où l'ascenseur faisait office de monte-charge, surprit l'équipe de corvée. J'étais le revenant, amoché, crasseux, bancroche, dépenaillé, d'un conflit d'une autre époque. Une bulle de silence enfla dans le remue-ménage qui mettait l'immeuble en effervescence. L'étonnement scandalisé de Karl, attiré par cette suspension, l'emplit :

« Oh ! Monsieur !... Dans quel état vous êtes-vous mis ! Voilà deux jours que je vous attends...

— Tu n'es donc pas au courant ?

— Si... On a dit que vous faisiez la noce en ville. »

Je me révoltai :

« Tu parles d'une nouba ! Avec une Mercedes... Mais c'est elle qui m'a baisé... Oui, mon vieux ! Une bagnole en embuscade, à la sortie du boulot, dimanche soir... Tu as failli m'attendre longtemps, même ne plus me revoir... »

Je me laissais aller, dans mon indignation, à glorifier ma chance, pour mieux dramatiser. Après tout, c'était mon droit, mais il n'appartenait qu'à moi d'en disposer. Devant le détachement en bourgeron de la Bundeswehr, le récit de l'accident revêtait le caractère mémorable d'un fait de guerre. Et la vérité sort aussi, parfois, de la bouche des troufions. L'un d'eux nota :

« Heureusement que vous étiez en condition physique, pour avoir le réflexe de sauter, et tenir le coup dans votre terrible cabriole. »

Voilà bien la chance ! On a celle que l'on mérite. La mienne se justifiait et ne devait rien au hasard. Je m'étais tiré finalement de mon sévère face à face avec la mort en abattant mes atouts personnels. Si je renouais donc le fil de mon existence, dans la chambre familière où me raccompagnait Karl, c'était moins par tolérance divine qu'en vertu de mon sang-froid et de ma forme. Que n'y avais-je pensé avec Amalia ! Je subissais cependant l'érosion sourde et tenace de la souffrance et mes nerfs lâchèrent, à la vue du petit lit de campagne qui ressemblait à celui de Napoléon à Sainte-Hélène. Karl m'y installa et je me sentais si brisé qu'une illusion de bien-être, aussitôt, me berça :

« Soyez gentils de faire le moins de bruit possible, et reviens t'occuper de moi dans deux heures. »

Une tendresse nous lie aux choses complices qui participent à l'activité quotidienne et il existe une sorte de compagnonnage avec les objets qui nous assistent chaque jour. Cette communion devient plus tangible encore lorsque l'on vagabonde, car le voyage donne une âme aux plus banales réalités. Je caressais du regard la vieille valise avachie, écorchée, dont l'abandon prochain serait pour moi un déchirement, la machine à écrire béante, semblable à une énorme coquille Saint-Jacques ouverte, la serviette fleurie d'étiquettes, qui vomissait ses fiches sur le canapé. J'étais parti, dimanche matin, sans fermer la fenêtre et les tourbillons de l'orage avaient effeuillé une rame de papier, dispersé des articles et mon courrier, soufflé au tapis une affiche olympique tout en couleurs, fripée comme un lambeau d'arc-en-ciel. Cette jonchée donnait à la pièce un air de salle d'études une veille de vacances. Le reportage des reportages serait de revivre une nuit dans toutes les escales, les chambres, les refuges où l'on est passé en nomadisme, afin d'y retrouver, des palaces aux cagnas et aux guitounes, la fermentation, l'angoisse, l'exaltation de l'aventure. Autant de nuits d'amour intense, pleines de secrets et de fantasmes, occupées au fignolage des sensations du moment et à l'espérance des conquêtes à venir, partagées entre la volupté du succès et le défi à l'échec, avec, tout au bout, la rupture affligeante parce que l'événement fuit, que l'on ne vivra jamais deux fois. Et, pour moi, la transe perpétuelle du dépucelage, car chaque reportage est toujours le tout premier.

Avant la fin de la semaine, je serai au cœur des Pyrénées dans mon chalet solitaire du Val d'Aran, accroché, à plomb, sur le torrent. Au ciel d'émail bleu, tout scintillant de l'argenture des cimes, les avions tirent de grands traits blancs, sud-nord et nord-sud, juste au-dessus de la Maladeta. De vallée en vallée, l'écho enfle leur grondement. Il vient, chez moi, fondre dans le tumulte du Rio Barados, qui rebondit sur les avalanches jusqu'à la Garonne. Le jour, je regarde mes rêves d'évasion s'effilocher avec ces traits blancs. Quand, dans le silence de la nuit, je les entends, ces avions qui passent sur mon toit, ils composent, avec le torrent, un arrangement pour grandes orgues qui donne à la montagne une résonance de cathédrale et coule, sur ma solitude, des frissons d'extase.

Du bourdon des voix qui montait de la place se détacha soudain un léger vibrato métallique, coupé, de temps en temps, de pizzicati entêtés. En deçà de la fenêtre à guillotine, un moineau s'affairait dans la boîte à biscuits. Il avait le culot effronté que donnent l'habitude et l'impunité. Il se perchait parfois à la pointe du couvercle rabattu, y frottait son bec empâté, le curait d'une patte fébrile et m'examinait d'un œil, puis de l'autre, avec des airs penchés. Il replongeait ensuite dans la boîte, sautillait sur le papier parchemin et picotait sa fantaisie monocorde. Un vent léger troussait le rideau. Sur la toile grenue du ciel de Munich, l'après-midi, vers sa fin, ébauchait un frottis de pastel. En faisant jouer mes mains qui s'engourdissaient, je m'aperçus que ma chevalière en or s'était râpée, limée dans l'accident. J'y déchiffrais à peine mes initiales. Mon cousin Jean-Jacques, lorsqu'il se tua près de Limoges, avait eu aussi sa montre et sa bague écrasées. Un virage, un dérapage, un tonneau, le toit ouvrant qui coulisse, et la voiture qui retombe sur le corps éjecté. J'étais, sur son carnet intime, « la-personne-à-prévenir-en-cas-d'accident ». Pêché dans un cabaret, j'avais pris de justesse, à minuit, le rapide Port-Bou - Paris. Et, au petit matin d'un premier mai, alors que commençaient à fleurir, aux carrefours, les étals de muguet, j'étais entré, encore imprégné de cette odeur forte des boîtes de nuit, remugle de parfums outranciers, de sueur, d'alcool et de tabac froid, dans une morgue vert-de-gris, au carrelage terne et à l'atmosphère à la fois fade et alliacée. Tout au bout de l'alignement des tables de bois blanc, maculées de sombres tavelures il y avait, sur les deux dernières, un Noir qui virait à l'olivâtre, comme si le mur salpêtré déteignait sur lui, et un Blanc au visage intumescent, fuligineux qui, par un macabre phénomène de mimétisme, virait au noir. C'était Jean-Jacques. Le préposé blasphémait :

« Ça ne devrait pas être permis de voir de pareilles choses : un jeune officier mort à la fleur de l'âge et ce Congolais dont on ne saura jamais qui il est... »

Suivit l'inévitable et insane postulat sur le fatalisme des gens de couleur :

« Moi qui les connais bien, monsieur, pour avoir fait mon service militaire à Madagascar, je puis vous le dire : ça ne pèse pas lourd, la vie, chez eux. Il vaudrait mieux, ici, une douzaine de Noirs à la place de cet officier... »

On ne polémique pas dans une morgue. Jean-Jacques avait le crâne scalpé et à demi broyé. J'envoyai le préposé quérir un infirmier et je l'assistai dans le nettoyage sommaire de cette bouillie de chair et d'os.

« Voyez, me dit-il, il est mort deux fois : la tête écrasée et le cou cassé net... »

A grand renfort de coton, de gaze et de bandages, on parvint à rendre quelque ressemblance au visage. Puis l'infirmier le bloqua dans une cagoule en tissu élastique. Heureux que je n'aie pas songé plus tôt à Jean-Jacques. Sa compagnie m'eût été plus pénible encore que celle de Pierre Delhomeau. Alors que, chez lui, on préparait gâteaux, bougies et cadeaux, il s'en était allé, lui aussi, sur un malentendu, le jour de ses trente-cinq ans.

« Le capitaine se tenait à l'avant, près du chauffeur, la main gauche accrochée à la poignée du toit ouvrant, disait le rapport de gendarmerie. Il activait sans cesse l'allure car sa famille l'attendait pour célébrer, le lendemain, son anniversaire. La voiture a chassé sur du gravillon, puis dans l'herbe fraîche du bas-côté... Les trois autres passagers du véhicule sont sortis indemnes de l'accident. »

Il y a eu, depuis, simple substitution d'anniversaire. Le moineau, repu, lissait ses plumes. Je ne pouvais fixer sur lui mon regard ni mon esprit, car mon image de macchabée, cagoule et cou rompu sur un tréteau de morgue, faisait écran, inaltérable. Il m'était impossible d'imaginer ma fin en vase clos quand, dans la ronde effrénée de mes voyages aux quatre coins du monde, la mort aurait pu tant de fois me surprendre, à découvert et en liberté, tel que j'ai toujours aimé vivre... Et même en plein ciel, avec l'oiseau qui s'envolait.

C'était, en effet, dans un crépuscule naissant, violine comme celui qui drapait mon horizon, que j'avais sauté en parachute sur Dien-Bien-Phu. Je ne puis évoquer cette équipée, de toutes mes folies la plus folle, sans que la peur me décompose. Elle était même plus forte que ma hantise de la morgue et la dissipa. Pour la première fois je m'en rassasiai, afin de ne plus me voir à la place de Jean-Jacques. Venu à Hanoï expédier une série d'articles, je regagnais le fameux camp retranché — « cette cuvette est un bidet », disait le capitaine Hervouet, commandant des blindés, à bord de la dernière navette aérienne du jour. Elle amenait le courrier, du matériel sanitaire pour l'antenne chirurgicale du docteur Grauwin, et un groupe de parachutistes. Leur colonel les accompagnait pour une visite d'inspection. Nous avions longtemps bavardé, en regardant clignoter çà et là, comme des vers luisants, dans le moutonnement crêpu des collines du pays thaï, des feux mystérieux.

« Vingt mille vélos assurèrent notre ravitaillement en transportant, chacun, trois cents kilos de charge, m'a raconté naguère, au Nord-Vietnam, un des proches collaborateurs du général Giap. Et nos vingt-quatre canons lourds, pas un de plus ni de moins, nous les avons halés à la main, notamment au col de Fa-Dinh, l'un des plus longs entre Hanoï et Dien-Bien-Phu... »

Sans doute, ce soir-là, les lucioles qui, au sol, pointillaient notre vol, et trouvaient, au ciel, le reflet de leur clignotement dans les premières étoiles qui piquetaient le crépuscule, trahissaient-elles l'activité fourmillante de ceux qui paumoyaient leur victoire. Le « Dakota » descendait en froissant la moire du soir, que le soleil couchant, en son halo extrême, ourlait de vieil or aux festons des collines. Et je vis soudain éclore, autour de la cuvette, de fulgurantes anémones qui se décomposaient, sitôt épanouies, en écume flavescente. Presque en même temps éclataient, aux abords de l'appareil, des capsules de coton vomissant leurs floches moelleuses. La brise les cardait aussitôt et les effilochures venaient parfois se coller au ventre de l'avion, comme à un fuseau. Le harcèlement des « Viets » nous interdisait l'approche de la piste. L'avion reprit de la hauteur et, décrivant de larges cercles, à la manière des grands oiseaux de proie pillards, guettait l'instant propice pour se laisser tomber en piqué. Le pilonnage nourri de notre artillerie écrêtait les hauteurs. Des éruptions flamboyantes, en chapelet, les déchiquetaient. On ignorait alors que ces collines étaient de véritables taupinières où s'enterraient aussi les batteries. La radio réclama le ciel pour l'aviation militaire.

« Je rentre à Hanoï, annonça le pilote à son micro. C'est une question de carburant.

— Un dernier passage pour le saut ! hurla le colonel. Les paras ne font jamais de voyage pour rien. Tout le monde en place !... »

Le « Dakota » glissa sur l'aile gauche et vira tous feux éteints. La troupe titubante se harnachait dans un cliquetis de boucles et un récital de jurons.

« Alors, le journaliste, on se prépare ? » dit le colonel en poussant du pied, vers moi, un casque et un parachute.

Je crus défaillir :

« Mais je n'ai jamais sauté...

— Bonne occasion... Un baptême dans un feu d'artifice... »

L'estomac noué, le cœur battant la chamade, je bafouillais. Le colonel ricana :

« Pour s'envoyer en l'air, monsieur préfère rejoindre une congaï à Hanoï... »

Je me liquéfiais et des sueurs froides dégoulinaient le long de mon échine. Elles ruisselaient et me trempaient si intimement que j'avais la détestable impression de m'oublier dans mon pantalon. Lamentable, je le sais, j'ai supplié :

« Laissez-moi... Je les ai à zéro... »

Le chœur des paras me traita aussitôt de dégonflé, de pédé, de héros de bordel. Le colonel trancha :

« Si j'étais journaliste, je ne raterais pas la chance unique, historique, épique, de titrer : " J'ai sauté en parachute sur Dien-Bien-Phu bombardé... " »

Je le voyais gueuler mais sa voix, lointaine, m'arrivait assourdie par le tam-tam du sang aux tempes et le vrombissement des moteurs qui faisait vibrer la carlingue. La porte de queue, déverrouillée, aspirait aussi le fracas des explosions. Ce blâme du colonel fouaillait mon amour-propre, en même temps que les remous d'air frais me ravivaient. Je ne me rappelle plus ce que j'ai dit. Mais je crois, depuis ce soir-là, que le courage peut être la forme extrême de la peur lorsqu'elle devient si intense qu'elle abolit la conscience. Alors, en bien ou en mal, on fait n'importe quoi. Des hourras couvrirent l'effervescence des moteurs. Des mains sortaient de partout pour me sangler. L'avion cahotait dans les trous d'air. Il prenait la cuvette en enfilade, sur les dix-huit kilomètres de sa plus grande longueur. Les loupiotes du camp filaient sous nous, fugaces comme des étincelles.

« On saute après moi ! », beugla le colonel.

Lorsque je le retrouvai, bien plus tard, nanti d'étoiles, il gardait vivace le souvenir de ce défi dans le ciel de Dien-Bien-Phu. Il m'appelait « Monsieur-qui-les-a-à-zéro ». Ce fut mon leitmotiv, paraît-il, jusqu'au moment où, d'une irrésistible bourrade au creux des reins, on m'avait précipité dans le vide. Le colonel en faisait une citation à l'ordre du journalisme.

« Hélas ! chez vous comme chez nous, ajoutait-il, ce sont les campagnes électorales qui comptent double... »

J'avais basculé, les yeux fermés, dans un chahut de toboggan, vidé de moi, égaré comme le ciron pascalien dans l'immensité, puis saisi, anesthésié par le silence et l'incroyable singularité du moment. Béatitude trop brève, dans du coton, car le déploiement de la coupole me réintégra dans ma peau en m'arrachant les épaules. La brutalité du coup d'arrêt me rendait à la réalité et à sa découverte. Le plus dur était passé. J'allais savourer des sensations nouvelles et arriver au sol comme une fleur. Une floraison de calottes blanchâtres, parfaitement moulées, m'environnait. On aurait dit une colonie de coucoumelles, dans la tiédeur humide d'un sous-bois. Décontracté, je me balançais, bras ballants, amusé par les manœuvres de mes compagnons qui, tirant sur leurs suspentes, biaisaient vers la gauche. Ils obéissaient à un mobile que je ne soupçonnais pas, mais je ne pouvais me permettre de titiller, sans le connaître, un parachute qui avait eu la bonté de s'ouvrir. Le bombardement « viet » semblait cesser. Sur ma droite traînaient quelques fumées grisâtres comme si l'on venait d'y écraser des vesses-de-loup. Du côté du mont Chauve, des chasseurs bombardiers entretenaient, au napalm, un gigantesque incendie, dont le bouillonnement soufré gouachait un ciel à la Van Gogh. Je dérivais au-dessus de la Nam Youn serpentine, que les éclats du brasier caramélisaient. Puis, sautant la rivière, je glissai vers la route provinciale 41 où se hâtaient des jeeps affairées, semblables à des bestioles noctiluques aux yeux de jade. Le sol commençait à se dégager de la pénombre des profondeurs et je distinguais ses rides, ses pores, ses boutons, ses cicatrices, une peau pustuleuse sans cesse charcutée par la guerre. Il montait de plus en plus, grossi à la loupe, lorsque d'étranges signaux lumineux en morse filèrent devant moi, sur le tableau sombre de la nuit tombante. Leur miaulement significatif me glaça. Il y en avait aussi dans mon dos, et au-dessus... J'étais comme une note, une triple croche, sur une portée phosphorescente. Sous moi, aux abords du point d'appui « Eliane », des torches électriques galopantes balisaient une aire d'atterrissage. La trouille, revenue, m'interdisait toute initiative. Le staccato rapproché d'une mitrailleuse orchestra ma chute. Je m'affalai, face contre terre, au flanc graveleux d'un piton, et dégringolai aussitôt dans une avalanche de cailloux et de ferraille, sur des rouleaux de barbelés posés comme des bigoudis au front d'une casemate. J'étais un peu sonné, le visage écorché, l'épaule droite endolorie, incapable de me dégager de mon buisson épineux, « un oreiller de fakir », disait-on là-bas. Un projecteur fouillait déjà la pente à ma recherche, tandis que deux mitrailleuses croisaient leurs tirs sur ma tête. Le parachute était accroché à des chevaux de frise. Taquinée par un souffle, la soie avait des palpitations glaireuses. On aurait dit une énorme méduse échouée.

« A cinquante mètres près, mon pote, tu te vomissais dans le no man's land. La nuit, c'est le royaume des Viets », avait dit le sergent de la coloniale qui dirigeait la patrouille de secours.

Dans le boyau, il m'offrit une goulée de cognac. Ma tenue l'intriguait :

« Ton unité ?

— Journaliste...

— Sans blague !... »

Sa stupéfaction me flatta. Je ne pouvais cependant tirer fierté de mon premier saut quand mon intrépide camarade Brigitte Friang, tanagra du grand reportage, ne comptait plus les siens. Une silhouette enjambait le boyau en haut de la montée.

« On l'a récupéré, mon lieutenant. Bien vivant. Une épaule démise et des meurtrissures. C'est un journaliste.

— Tiens, un qui en a...

— Je ne suis pas le seul...

— On les compte... »

Le rude hommage de l'officier me réhabilitait vis-à-vis de

moi-même. Je voyais, là, à la « Une » du journal, le titre suggéré par le colonel.

« Nous vous suivions à la jumelle, raconta le lieutenant. En vous voyant dériver, inerte, on vous croyait blessé ou mort. Les “ Viets ” guettaient votre chute chez eux. Ils ont tiré sur vous à balles traçantes, quand ils ont compris que vous leur échappiez. Il était temps que vous touchiez terre... Ça vous fera tout de même un beau papier... »

Je n'ai jamais écrit ce récit. Tant de gars sautèrent, pour l'honneur et le sacrifice, sur Dien-Bien-Phu, qu'il devenait indécent de tirer gloriole d'une fanfaronnade et d'abuser du fragile privilège d'être passé entre les balles. On ne peut, néanmoins, prétendre faire sainement la part des choses, des choses de la vie, si le sort n'a jamais mis l'existence en balance, jusqu'à la suspendre à un fil, dans l'incognito d'un bout du monde. Jamais deux sans trois, dit-on. Réchappé de Dien-Bien-Phu et du Rif, il était vraiment injuste que je connaisse la fin de mon cousin Jean-Jacques. Quarante-huit heures après celle qui, une fois de plus, devait être la dernière, le diagnostic du chirurgien semblait se vérifier, malgré la gêne qui m'incommodait. Je pouvais donc tenter de la traiter par l'homéopathie, et l'exaspérer jusqu'à l'analgésie, dans l'exploitation gourmande de mon nouveau sursis.

Exact au rendez-vous, Karl m'avait découvert dans la mousse onctueuse d'un bain azuré qui embaumait le santal. La tête posée sur le bord de la baignoire, je me prélassais en caressant mon corps, comme si je le remodelais. Je me délectais au contact de ma peau que le bain satinait, peau neuve d'enfant par endroits veloutée. Je me sentais un autre, dans ce bain qui me lavait de mes meurtrissures. Mon mal flottait, facilitant un décrassage total, puisque ma raideur, elle aussi, se diluait. Je m'ébrouais avec une relative aisance et me plaisais au jeu retrouvé de mes jambes, même la gauche, pourtant affreuse, comme badigeonnée à la teinture d'iode. Ballotté par le mouvement de l'eau, mon sexe pointait de temps en temps, avec une curiosité de périscope. Je m'alanguissais dans cette détente. Ce n'est rien de voir passer, d'une façon ou d'une autre, la mort, car on s'imagine toujours qu'elle a fait son choix du voisin. Mais cette fois je l'avais sentie peser sur moi, s'insérer en moi, me saisir à la nuque comme dans un carcan, me tenir à la merci d'une chiquenaude, au point de me demander si l'instant immédiat, le geste amorcé n'étaient pas les derniers. A tort ou à raison je venais donc de vivre deux jours avec elle et ma souffrance m'interdisait raisonnablement d'oublier sa présence. Je savais que la radiographie et l'œil le mieux exercé ne percent pas toujours les mystères du rachis. Mais le temps, c'était indubitable, jouait en ma faveur. Je gardais l'esprit clair et ne me sentais pas rivé à mon clou, même si son entrave implacable me suppliciait. En sortant de l'eau il me sembla que je noyais la mort dans la baignoire. J'avais essayé de me refaire une beauté, en retouchant au mieux ma barbe malgré les bandages.

« Vous ressemblez à un prince oriental », plaisanta Karl.

La séduction de Rudolph Valentino, dans « Le fils du Cheik », avait illuminé mes rêves de gosse. Il manquait la majesté du burnous mais, avec, mon ensemble de sport en jersey bleu, je faisais encore illusion. Il me suffisait de retrouver mon Saint-Bernard.

que chaque [illegible] de nos [illegible], comme la gra-
[illegible] pourtant [illegible] comme [illegible] à la [illegible]
de la Ballière qui le connaissait, [illegible]
[illegible] de temps en temps avec une [illegible] de [illegible]
[illegible]

[illegible]

[illegible] place Saint-Bernard.

Je l'avais connu le soir où « Golym » s'était moqué de moi, « Golym », l'ordinateur fabuleux qui livrait par le menu, à la demande, trois quarts de siècle d'histoire olympique, annonçait, avec une rigueur d'huissier, le pedigree détaillé de la faune sportive la mieux racée, rendait les honneurs au cénacle jaloux qui spéculait sur ses exploits et ses charmes et poussait le vice jusqu'à faire un sort au dernier des quatre mille journalistes, dont les ratiocinations n'étaient pas la moindre drôlerie de ce cirque. Le premier soir, j'avais demandé à « Golym » qui j'étais. Après un borborygme prolongé, un clapement de langue et un rot profond, il cracha une fiche qui confirmait mon sexe, mon adresse, mon numéro de téléphone et me sacrait champion de basket-ball et de yachting. Les remous provoqués par cette surprenante promotion dans deux disciplines qui m'étaient totalement étrangères, nous rejetèrent sur l'écueil le plus redoutable, le bar de Bernard. Perchés à la hune du zinc, nous avions engagé un débat de corsaires sur le gréement d'une goélette et, de foc en tapecul, de cacatois en perroquet, le vent enfla si démesurément les voiles qu'au petit matin nous relâchions chacun pour soi, sans se soucier de Dieu et de son choix, au petit bonheur la chance. Je m'étais ainsi réveillé dans la cambuse de Bernard, au branle d'un shaker qui, sur un rythme de samba, emplissait ma tête intolérable d'un crissement de maracas. Il m'avait offert, en trois sommations, une mixture louche et visqueuse, couleur de sperme :

« Avale ce rince-cochon! »

J'en suivis le cheminement jusqu'au trou du nombril, puis tout remonta. Sur le front des bistrots, il existe une solidarité des gueules de bois, comme ailleurs des gueules cassées. Ainsi naquit, entre Bernard et moi, une sympathie de circonstance, rapidement fortifiée par la communauté de la langue occitane, puis trempée dans le culte du rugby. Il venait de la pinède landaise, où l'on naît friand de la vie parce qu'elle n'y a pas d'âge, appétissante et savoureuse dans tous ses jeux, depuis le château de sable des grèves océaniques jusqu'au mirador des palombières dans les taillis d'arrière-pays, avec la religion de l'oie, une foi devenue coutume, et la fantaisie ludique, dans la passion des arènes et des stades. J'étais pétri de la terre noble d'à côté, toujours insoumise, encore marquée au fer et au feu de l'épopée cathare et pays de cocagne authentique où fleurit, sous tous ses aspects, la truculence rabelaisienne, tandis que Montaigne y concevait qu'il n'est pas de liberté de pensée sans jouissance de soi. Bernard dominait son bar avec un brio qui en imposait aux poivrots les plus récalcitrants. Une mémoire visuelle déconcertante lui rendait familiers, dès leur premier verre, les visages les moins attachants. Il jonglait aussi, en une demi-douzaine de langues, avec le vocabulaire utile de bistrot, le cas échéant truffé d'argot. Il n'avait pas, en outre, son égal au change des monnaies et les faisait flotter à son gré, selon les fluctuations de la clientèle et son équilibre. Il lui arrivait même de boursicoter à sa façon sur le marché des filles. Non point en maquereau, mais en connaisseur, car il possédait un sens subtil de la valeur amoureuse. Et ses avis recherchés lui attiraient de confortables pourboires.

Toutefois, les meilleurs tuyaux, il les confiait de lui-même à ses bons copains. C'est encore à eux qu'il réservait les indiscrétions captées à la limite des ultra-sons et, de toute façon, il était pour les pisseurs de copie incorrigibles la source d'information la plus diurétique. Il rayonnait lorsqu'on parlait de rugby. Il versait alors dans les verres la nostalgie des sympathies interrompues et ranimait, aux tabourets du bar, les ombres indispensables. Il avait, pour les initiés, des ouvertures sublimes.

« Pour les autres, disait-il, il faut taper en chandelle et se payer des cartons. Si le jeu ne vaut pas la chandelle, on étouffe le ballon. »

Ma décision de retrouver Bernard pour la soirée de bringue de l'adieu irritait Karl :

« Restez dans votre chambre, monsieur, je vous monterai le dîner. Votre ami est sans doute parti.

— Pourquoi ne veux-tu pas que je descende ?

— Votre état m'inquiète et je pense que le repos vous sera plus profitable.

— Douterais-tu, toi aussi, de la médecine de ton pays, réputée l'une des plus sûres du monde ? Eh bien, elle m'a donné le visa de départ, avec les certificats les plus rassurants.

— Vous êtes à la merci d'une imprudence, monsieur !

— Toi aussi. »

Il m'attira vers la fenêtre :

« Voyez... Il n'y a plus personne... »

La Cité de la Presse sombrait dans un bas-fond bleu marine où louvoyaient de rares voitures. Elles semblaient remonter d'un monde abyssal, comme des poissons luminescents. Les façades qui cernaient la place, piquées de quelques fenêtres encore allumées, avaient un drapé lourd de tentures mitées. La pièce était vraiment jouée. Elle s'éteignait sur les éclats de voix des soldats-machinistes qui vidaient les coulisses. De temps en temps glissaient des fantômes au fond du décor, sur la scène à demi éclairée, fantômes encore obsédés par le happening olympique et en mal d'un nouveau spectacle psychédélique. Leur errance trahissait le désarroi et l'impuissance, quand l'imagination et l'expérience ne parviennent pas à combler le vide laissé par les grandes émotions évanouies. Je ne souffrais pas de ce manque de sensations tierces pour ma raison d'être mais, au contraire, du besoin de rentrer moi-même en scène, afin d'y peloter mon existence comme une primeur à l'étal de la vie.

« Veux-tu m'accompagner, Karl ? »

Il se résigna, livrant un baroud de dissuasion dans l'ascenseur-monte-charge encombré de matériel. Le décrochage du départ et le tassement de l'arrivée me firent grimacer. Il tenta son ultime manœuvre devant la porte à deux battants du hall, qui lui était réglementairement interdit. Vraiment persuadé que j'allais jouer mon existence dans ce saloon où l'on flambait les dernières cartouches du western olympique, il s'interposa avec une déférence navrée :

« Combien de temps dois-je vous attendre, monsieur ? »

Je flattai, avec une affectueuse rudesse, son épaisse encolure :

« Va ! Profite toi aussi de tes dernières heures de liberté, car ton retour à la caserne approche. Va ! Je te retrouverai demain ! »

Il s'en alla, contrarié, tête basse, l'allure hésitante. Il glissait, de temps en temps, en coulisse, un œil craintif, comme un chien que l'on chasse et qui guette son éventuel rappel. Je le suivis des yeux jusqu'à sa disparition, derrière la haie de fusains du jardin d'enfants. A sa carcasse massive s'était superposée celle du mastiff trapu qui, à cette même heure, devait monter la garde devant le pub de Haymarket où son maître, chaque soir, prenait sa biture de stout. Leur manège avait été la principale attraction de mon dernier séjour à Londres. Lui, un indigène très classique, favoris fauves, moustaches flambantes en stigmates de maïs, habit noir et gris, melon, jabot de mousseline, bottines vernies et parapluie. Aux alentours de vingt heures il débouchait de Picadilly Circus, précédé de son dogue tête-de-maure à la démarche de pachyderme.

« *Seat down !* » ordonnait-il au seuil du pub.

Le mastiff levait sur lui un œil globuleux injecté de sang, au regard soumis, exhalait un soupir de sa truffe camuse et morveuse, puis se laissait choir sur son arrière-train. Le maître poussait la lourde porte gothique aux grosses ferrures forgées. Le chien prenait alors la position du grand sphinx de Giseh et s'installait dans l'attente indéterminée de la cuite. Indifférent aux allées et venues, il posait une énigme aux passants. En fait, rien ne lui échappait qui touchait au pub. Il enregistrait, avec d'imperceptibles frémissements d'oreilles, les rares éclats de voix qui perçaient les épais vitraux en culs de bouteille, cernés de leurs résilles de plomb, et roulait vers la porte un regard de routine à chaque entrée et sortie. Car, son maître, il le sentait venir, et rectifiait aussitôt la position en se remettant sur son séant. Dès qu'il apparaissait, très raide, enrobant son ivresse de pudibonderie victorienne, le mastiff, impassible, venait au-devant de lui, l'aiguillait d'un coup de museau discret et collait à ses jambes, comme un garde-fou, son flanc haut et large. Le parapluie à la main droite en guise de canne, le maître se branchait sur son pilote avec la gauche, qu'il laissait traîner le long de la croupe. Ainsi accouplés, ils appareillaient vers Picadilly Circus. Ils cabotaient en marge des murs, dans le flot de la foule, sensibles aux moindres remous, mais toujours étroitement solidaires. Ils se fondaient ainsi, peu à peu, dans la brume qui voilait les lampadaires, stylisés comme un grand mât flanqué de son remorqueur et balancés par un léger roulis.

Avec un singulier instinct, Karl, mon berger allemand, avait senti — je le sais à présent — que j'étais à la merci d'une chute, d'un choc, d'une agitation un peu brusque, même amoureuse.

Interdit, Bernard laissait la bière à la pression déborder des chopes en dégoulinades mousseuses. Les yeux écarquillés, il psalmodiait une litanie qui suspendit le brouhaha du bar et dirigea sur moi tous les regards :

« Non... Ce n'est pas vrai... Toi... Drôlement amoché... Pas possible... Non... Ça, alors... Raconte... »

Pressé de savoir, il me mitrailla de questions dès que je m'amarrai au comptoir. Hachant mon récit d'imprécations, il faisait le procès systématique de « ce pays de pignoufs », et patoisait pour stigmatiser, à leur insu, les Allemands présents, qui constituaient l'essentiel de sa dernière clientèle.

« Ils vont payer ! » dit-il.

Et c'est en clair qu'il conclut son réquisitoire par une demande de réparation pétillante :

« L'un des vôtres, sans doute plein de schnaps, a failli tuer mon ami avec sa voiture... Comme s'il n'y avait pas eu assez de morts, ici, la semaine passée... Un journaliste sur la conscience, il ne vous manquait plus que ça ! »

Soulignant qu'un inestimable miracle soulageait l'Allemagne d'un surcroît de culpabilité, il décréta :

« Une telle faveur ne s'honore pas à la bière, mais au champagne. La vie d'un copain n'a pas de prix. Nous allons la fêter tous ensemble, à la française... »

Il aligna promptement une dizaine de coupes comme on étale, aux cartes, une quinte de chaque main. Et il dégoupilla la première bouteille avec une assurance de grenadier :

« Celle-ci, c'est la mienne ! » annonça-t-il. Il maîtrisait le bouchon pour recenser son monde et l'appâter.

« Nous sommes neuf... D'accord ?... »

Personne n'osa se dérober. Il fit péter la bouteille, porta un toast à ma gloire et chacun, sur son exemple, vida sa coupe d'un trait.

« La seconde, pour moi ! » dis-je aussitôt.

— Et deux roteuses, deux ! » clama Bernard.

Un confrère de Hambourg réclama la troisième, un de Francfort la quatrième. Il était neuf heures bien sonnées et notre turbulence attirait les dîneurs à leur sortie du restaurant. Le champagne aidant, on brodait sur mon accident, et ma notoriété enflait avec l'assistance. Dans la déflagration du cinquième bouchon, mon voisin fit de moi un vivant défi à l'adversité, une sorte de Zorro-Trompe-la-Mort. On commençait à se bousculer pour m'approcher. Il y avait les sceptiques, venus vérifier l'existence d'un revenant, romantiques pressés d'en savoir plus long de ma mémoire d'outre-tombe, quelques superstitieux aussi, qui caressaient mon turban comme on touche le pompon d'un béret de marin. Nous étions toujours plus nombreux et les coupes ne désemplissaient pas. Bernard, qui orchestrait cette beuverie avec une maîtrise impressionnante, procédait par commandes groupées pour satisfaire la demande d'un bout à l'autre du bar. Je n'étais plus qu'un prétexte et, si l'on buvait encore à ma guérison, comme pour conjurer un mauvais sort toujours latent, ce rituel magique débouchait aussitôt sur les débordements des libations d'adieu. De « prosit » en « prosit », Bernard alignait le dix-neuvième cadavre lorsque les premiers tangages de l'ivresse nous ballottèrent le long du bar. Jeté à bas de mon tabouret, je redevins captif de ma douleur rudement relancée. Elle était si vive, si intense dans tout mon être, que je chancelai en proie au vertige de l'évanouissement. Agrippé à la barre du zinc, je posai mon front sur le comptoir arrosé de champagne. Il y avait eu un court-circuit dans ma tête et un éclair aveuglant venait de me plonger dans le noir. Des décharges nerveuses me sillonnaient, qui taraudaient mon crâne d'élancements frénétiques.

« Tu es rond ? murmura Bernard.

— Non. Mais je crois que je vais crever.

— Ne déconne pas !

— Sors-moi d'ici... »

D'autorité, il distribua les rôles pour mon installation sur deux fauteuils, disposés face à face, dans un coin tranquille du hall. Il m'y conduisit avec une escorte attentive à mon comportement. A demi étendu, je reprenais possession de moi. La magnéto, qui ronronnait dans ma tête et m'électrisait, avait des ratés. Le jus faiblissait. Les phénomènes tétaniques s'estompaient. On épiait alentour mes réactions. Je congédiai mon public, plus curieux que compatissant :

« Ce n'est qu'une faiblesse... Revenez au bar. Je vous y rejoins...

— Ne te soucie pas de ces couillons, dit Bernard, et prends tout ton temps.

— Je suis navré de compromettre ta recette. Tout était pourtant bien parti. Je te dois aussi ma bouteille... »

Bernard se confessait en patois :

« Ils l'ont payée. La mienne aussi. Ils banquent sans se rendre compte. J'ai presque doublé la consommation et encaissé déjà une trentaine de roteuses. Tu peux cuver en paix.

— Mais je ne tiens pas une cuite, je te le jure ! La bousculade m'a déglingué. Il m'en faut peu ! J'ai une banderille au profond de ma nuque. Je ne peux m'en débarrasser. Alors, dès que je bouge, elle déchiquète mon cou, le lacère. Tout passe par là, tu le sais...

— Oui, je sais... Ces déchirures semblent se rouvrir à chaque mouvement. J'en ai contracté une à la cuisse lors d'un match contre Agen. C'était comme un poignard qui fouillait mes chairs. Repose-toi. Je vais expédier les Fritz et nous dînerons ensemble.

— Peut-être mon malaise vient-il de la faim, car je n'ai guère mangé depuis trois jours. »

Bernard, accroupi à mon chevet, se détendit comme un diable à ressort. Il exultait :

« Ne cherchons pas plus loin. La douleur t'a chaviré l'estomac. Je vais poser une sourdine sur la gueule de ces braillards. Ne bouge plus d'ici. Pique un roupillon d'une heure. Puis nous irons " Chez Belmondo " partager un médianoche royal à la santé de ces messieurs. O.K. ?

— O.K. »

Il rejoignit son bar en patoisant à nouveau :

« Ils n'ont pas tous casqué... Je termine les exécutions, et je suis à toi... »

Puis, à l'intention de la galerie :

« *Ein... zwei... drei...* Ça repart... On liquide la réserve et on ferme. A qui la prochaine tournée ? »

Les pigeons se chamaillaient pour se faire plumer. La pensée de m'attabler bientôt « Chez Belmondo », le restaurant italien qui jouxtait la Cité de la Presse, attisait ma faim et me donnait des hallucinations de fringale. Je voyais des pizzas fuser de tous côtés, comme des « plateaux » de ball-trap. Sans doute parce qu'un restaurateur napolitain replet, Angelo Scalzone, m'avait convié à l'aller voir chez lui, pour goûter les siennes, et arroser sa médaille d'or du tir à la fosse olympique. Il la souffla, d'un point, au gaillard pêcheur de corail corse Michel Carrera, belle figure pour feuilleton d'aventure. J'avais alors écrit que ce Scalzone, spécialiste de la pizza et des spaghetti, était le seul aubergiste au monde qui pouvait tirer publiquement fierté de ses coups de fusil. Le trait avait fait mouche et me valait donc cette invitation du côté de Sorrente, qui me ramenait à mon premier engagement dans la course au jupon. Car, par la faute de Tino Rossi et surtout de son « Tango de Marylou », je n'imaginais, à mes débuts, d'amour parfait qu'en ces rivages, encore lointains, où tout se conjuguait — la mer, le volcan, la fleur d'oranger —, pour allumer le désir à la chaleur des romances et l'assouvir dans l'éruption des passions.

En suis-je revenu, à l'expérience, de ces paradis sophistiqués en i, en o, en a — Capri, Acapulco, Tahiti, Bahia Miami, Copacabana, Rio, etc. —, que l'on prend sans esprit à la lettre, et où l'on rencontre des maniaques de l'onanisme exotique, des jeunes mariés snobs ou dorés sur tranche qui s'imaginent déjà que l'on ne peut faire l'amour sans décor, des rombières à bajoues et bijoux menant en laisse leurs gigolos pomponnés et ravis d'être promenés comme des teckels ou des pékinois, de vieux beaux bécotés par des minettes provocantes, et si flatteuses pour leur virilité qu'ils feignent de croire qu'elles n'en veulent pas à leur bourse... Toute une armée de grognards et de Marie-Louise, partie en campagne plutôt résignée au crépuscule de Waterloo qu'ambitieuse d'un matin d'Austerlitz, mais assurée, au retour, de ses effets, avec la confidence ostentatoire dans un sourire de victoire : « J'y étais. » Au sentiment du commun des mortels, nourri de roman et de cinéma, il ne saurait exister d'autre motif valable que la fesse pour justifier une évasion dans un paradis en i, en o ou en a. Cela paraît plus évident que d'aller tout banalement à Saint-Amour dans le Jura. A Mexico, voilà quatre ans, lors des précédents Jeux Olympiques, compte tenu de la triple unité classique de temps, de lieu et d'action, un record du monde jamais homologué, celui des cocus, fut sans conteste battu à Acapulco. Opérant hors compétition, des commandos de champions descendaient régulièrement du plateau razzier le bétail, le plus souvent à poil et cuit à point, en transhumance sur les plages frémissantes de cocotiers. Ils poussaient même jusqu'à Las Brisas, un palace monté sur griffe dans la luxuriance des palmes, au-dessus de la baie turquoise. Dans ce ranch féerique s'impatientait un cheptel pour milliardaires. Et nos paillards cow-boys du sport rivalisaient à gogo dans un luxurieux rodéo.

Depuis deux jours et deux nuits, réminiscences, divagations et souvenirs bouillonnaient à tout propos dans mon crâne, comme si mon passé, brouillé par le choc, cherchait à se reclasser et à s'imposer dans le trouble du présent. Ma remise en ordre intérieure demeurait cependant conditionnée aux convulsions de ce torticolis hors du commun, qui semblait se nouer toujours plus étroitement jusqu'à me tordre vraiment le cou, à la hantise d'une infirmité qui s'installerait en moi, insidieuse et sourde, pour me surprendre et me terrasser à la moindre incartade. Et je me tenais en éveil, avide d'enregistrer, en moi et hors de moi, tout ce qui me torturait et me guettait. Le conflit de mémoires, que j'avais flairé dès le premier instant où je ne m'étais plus tout à fait senti moi-même, s'affirmait. Et je me disputais mon moi. Je préférais, certes, me vautrer dans un passé assez original pour nourrir l'inspiration de plusieurs romans, mais à quoi me servait-il de ressasser ma vie puisque j'ignorais si j'allais vivre, et comment ? Alors je me boutais hors de moi, je gommais ma mémoire et j'y inscrivais, avec une minutie de greffier, les motivations et les actes de la procédure introduite, devant tout le monde et personne, pour la reconnaissance de mon sursis. Mais je refusais aussitôt de m'identifier au personnage que j'étais devenu car c'est dans la souffrance que je me découvrais un autre, dès que j'avais l'intuition de voisiner avec le néant. Je luttais et n'en pouvais bientôt plus de ce masochisme qu'impose la maîtrise de soi. Je désertais et réintégrais la peau de l'autre. Je me laissais aspirer par son passé, je m'y oubliais et flottais sur ces rêvasseries qui m'entraînaient hors de la réalité.

Bernard houspillait sa horde braillarde de soulards. Ses éclats de voix venaient parfois me secouer dans la demi-torpeur où je me pelotonnais, à l'écart des êtres et des choses. Je me refusais à ouvrir les yeux, afin de sauvegarder le plus longtemps possible mon isolement, comme je faisais chez moi, dans la somnolence du matin, quand le tintamarre des éboueurs emplissait la rue et m'annonçait l'imminence du réveil. Ma souffrance et ma faim, elles aussi, s'étaient assoupies. Je voulais encore demeurer hors du temps et n'osais regarder l'heure de crainte qu'elle ne soit déjà celle du rendez-vous « Chez Belmondo ». Je souhaitais ne pas brusquer cette trêve avec moi-même et me préparer tout doucement à affronter à nouveau, sans me déchirer, la rigueur qui était mon lot. Mais voilà que je baignais soudain dans une atmosphère de salon pour dames, parfumée, indéfinissable, entêtante. Elle m'imprégnait, lourde d'une certaine griserie. Le jasmin dominait, avec un soupir de muguet et un soupçon de vanille. A mesure que je m'accoutumais à elle, j'y trouvais des saveurs de miellées, notamment de chèvrefeuille, qui sucraient mes lèvres. Et lorsque je perçus les effluves charnels de musc qui traversaient cette senteur un peu épaisse, presque orientale, je distillai un regard. Une femme était assise à mes pieds, sur la moquette anthracite, à la place exacte où, une semaine plus tôt, le nageur américain Marc Spitz, champion parfait avec sept médailles d'or et sept records du monde en sept épreuves, faisait ses adieux définitifs à la compétition et s'éclipsait à l'apogée de sa gloire. Elle me tournait le dos, à demi étendue, jambes étirées, comme une baigneuse offerte au soleil et à la convoitise des hommes. Elle portait un ensemble voyant, couleur rubis, avec un kimono pékiné à brandebourgs indigo, de larges pantalons à galons assortis et d'étranges chaussures, que j'avais repérées dans une boutique du village olympique, sorte de patins du Grand Siècle à haute semelle de bois vernissée de rouge et empeigne arc-en-ciel.

« Chic, un soldat ! » s'était écrié le général de Gaulle, un soir de réception à l'Elysée, en voyant arriver Brigitte Bardot, vêtue à la hussarde d'un dolman riche en passementerie. La boutade chatouillait ma langue pour attirer le visage de cette sirène, alanguie sur la grève où je faisais figure d'épave. Elle semblait intéressée par les tourbillons du bar en pleine foire. Sous mon apparente somnolence de chat, je l'observais, piqué par l'étrangeté de sa présence à mes côtés dans le grand hall abandonné, plutôt que par le désir. Je n'aspirais pas à séduire, avec mon accoutrement de sportif à la manque, encore moins à faire l'amour, avec le handicap de mon impotence. Peut-être même en étais-je incapable.

Le professeur Orlu m'avait montré un jour, dans son service de neurochirurgie, un phénomène de priapisme permanent dû à une lésion de la colonne vertébrale.

« On rencontre aussi, pour la même raison, des cas d'impuissance absolue. »

D'apparence, semblables infirmités me préoccupaient peu. Mais un torticolis comme le mien, ça ne vous met pas en tumescence, comme disait autrefois, dans son langage châtié, mon voisin de chambrée, séminariste à blason (quand il se faisait faire violence pour nous suivre au cinéma cochon). Aussi, malgré ma longue continence, cette froideur ne me chagrinait-elle pas. Pourtant, au tamis de mes paupières, ce corps tendu, légèrement arqué, trahi dans ses moindres palpitations par les frissons de la soie qui le moulait, s'offrait dans un flou érotique. Je le déshabillais et le voyais nu, ferme et bien dessiné, sans que l'imagination parvienne à éveiller la convoitise. Un léger sifflement troua la cacophonie du bar. Repliant ses jambes, elle se leva en souplesse, dans une détente élastique de danseuse et s'avisa de faire des pointes avec ses patins. J'ouvris tout grands mes yeux en voyant poindre la tête de Bernard, sur le ressac des poivrots qui battait son comptoir. D'une mimique éloquente, il demandait à mon inconnue si je dormais. Je reçus ainsi la double révélation de leur complicité et de son identité. Car, dans une pirouette, elle me livra son visage fouetté par sa chevelure.

« Amalia !

— Tu connais mon nom ?

— Ça va ? » hurlait Bernard me voyant éveillé.

Je le rassurai d'un geste. A nouveau assise en haut des marches, sur le rebord de la corbeille, genoux relevés, Amalia jouait l'indifférence et fignolait ses ongles à petits coups de lime pressés. Sa présence me plaisait. J'aurais aimé trouver là quelque preuve d'une secrète sympathie. Mais s'agissait-il d'une communion alors qu'elle montait la garde à mes côtés sur ordre de Bernard, et qu'il l'avait conviée — je le pressentais — à notre medianoche « Chez Belmondo » ? J'éprouvais néanmoins le besoin de subjuguer cette fille, à défaut de la posséder, d'exercer sur elle la fascination du vagabond, qui marque le souvenir plus durablement qu'une passade. Elle avait rejeté ses cheveux dans le dos et son profil copiait avec exactitude celui d'une figurine précolombienne en terre cuite, clandestinement ramenée de Palenque du temps où les Indiens libéraient à la machette les temples investis par la forêt vierge. Le même œil oblique, légèrement bridé, ourlé de longs cils, la pommette à peine saillante, qui creusait la joue d'une touche d'ombre, l'élégance d'un nez busqué, à la narine large et palpitante... Elle époussetait, en tapotant le tissu, la poudre d'ongle éparse sur le kimono et les pantalons.

« Ça te plaît de jouer les infirmières, Amalia ? »

Elle haussa les épaules, releva des deux mains sa somptueuse crinière et l'épandit dans son dos d'une rotation experte de la tête. Puis elle s'étira, bras tendus et poings crispés, visage au plafond, dans une attitude forcée d'ennui souverain. J'opposai à son outrance celle de mon dédain :

« Tu peux disposer, si ça te chante. Je ne t'ai pas appelée. »

Cinglée, elle se ramassa, comme pour bondir, puis s'assit vers moi en tailleur.

« Je suis venue pour faire plaisir à ton ami Bernard. »

Je me moquais du propos, captivé par son visage de cuivre sombre, qui chatoyait aux caprices d'un globe de néon vacillant. Dans les clignotements accentués de la lumière, on aurait dit, par moments, une tête d'obsidienne, avec ses reflets de lune et de soleil. J'avais la révélation d'une autre

Amalia, ni belle ni désirable, et qui échappait même à son type exotique pour paraître intouchable. Je la découvrais avec des impressions contradictoires, celle du déjà-vu, le vague d'une lointaine réminiscence et la sensation d'une créature impalpable. Je m'étonnais de ne pas avoir été saisi, lorsque je la querellais en début d'après-midi. Et je m'interrogeais sur le pourquoi de ces coïncidences, qui plaçaient ainsi, en insistant, cette fille sur mon chemin, tandis qu'elle se demandait, sourcil et nez froncés, la raison de mon embarras.

« Comment Bernard a-t-il eu l'idée de t'envoyer ici ? »

Elle connaissait depuis longtemps Monika, l'amie de Bernard. Pour dissiper la mélancolie de leur séparation toute proche, il les avait invitées au medianoche « Chez Belmondo ».

« Il me pria de venir te tenir compagnie. Je ne voulais pas et lui racontai ton comportement de malotru... Il en fit un test d'amitié.

— Pourquoi ton geste de tout à l'heure, avec mon sang ?

— Une coutume indienne.

— Que signifie-t-elle ?

— Ça dépend...

— Ça se fait aussi chez les Tziganes... Quand on mélange les sangs, c'est alors un serment indissoluble.

— Tu es gitan ?

— Un peu... Tu es indienne ?

— Beaucoup.

— Les Gitans sont aussi indiens, puisqu'ils tirent leur origine de l'Inde.

— Tu sais bien qu'on nous a baptisés Indiens par erreur. »

Bernard surgissait, champagne et coupes aux poings. Il jubilait :

« Encore une qu'ils n'auront pas. Trente-deux bouchons ! Je liquide ma cave et eux leur pognon. Ils ne savent même plus ce qu'ils boivent. La nuit va être à nous. Caviar, langouste, saumon fumé... A leur santé et à la nôtre... Ravi de vous voir réconciliés.

— Pas si vite, minauda Amalia.

— Embrasse mon ami ! ordonna Bernard.

— Pourquoi moi ?

— Parce qu'il est en capilotade, le cou tordu, le crâne fêlé ! »

Elle se leva, n'osa poser son baiser sur mon nez ou sur le menton, et frôla mes lèvres. Elle avait un goût de chèvrefeuille. Elle s'était posée plus près de moi, ses jambes contre les miennes, mais sur le qui-vive, et prête à s'envoler si je l'effarouchais. Je lui dis aimer le ruissellement de ses cheveux sur ses épaules. Elle avait abandonné son masque fermé. L'échancrure du kimono me livrait sa poitrine, à peine enchatonnée dans un mini soutien-gorge.

« Quand je suis arrivée, tu dormais.

— Non. Je rêvais.

— Tu ne m'as pas devinée.

— J'ai senti ton odeur.

— Un parfum de mon pays...

— C'est la senteur des carrefours de plein vent, où l'on respire le monde. Un parfum ne compte pas en soi, mais par l'odeur de vie qui le porte et qu'il apporte. Alors, quand elle est faite des effluves de l'aventure, seulement perçus par ceux... »

Elle m'écoutait, impassible, son regard noir si allumé, si fixe, que je ne savais si je la capturais ou si, déjà, elle m'échappait.

« Mon pays, dit-elle, c'est le Pérou.

— Je sais... J'y suis passé.

— Et tu y as connu des aventures ? »

Elle donnait au mot son sens banal, épisodique, de flirt ou de coucherie. Je lui dis que le vol d'un papillon, le cheminement d'une fourmi étaient des aventures, que la jouvence jaillissait d'un émerveillement toujours neuf, qu'il n'y avait d'autre secret, pour un reporter, que de se sentir partout à l'aise dans toutes les maisons. Elle insista :

« Comment trouves-tu les Péruviennes ?

— Je ne m'en souviens pas. A notre époque, faire l'amour est la chose la plus facile et la plus insignifiante qui soit. L'important, dans la rencontre, c'est la collision, la puissance de l'impact et le rayonnement des ondes de choc. Tu me comprends ? C'est le sentiment partagé d'éclater, de s'extraire de sa peau, de ses soucis et du temps, pour retrouver, ne fût-ce qu'un instant, l'illusion de l'unité originelle de la création, comme si chacun incarnait cette moitié de l'autre, que nous sommes indifféremment condamnés à chercher.

— Elle se rencontre parfois, cette moitié ?

— Il arrive qu'on ait besoin de le croire, ou de faire semblant. »

Un sifflement modulé nous alerta. Bernard nous accordait, ses deux mains ouvertes aux doigts tendus, une dizaine de minutes. C'était superflu. Au diapason, Amalia et moi nous moquions le temps. Nous étions contrariés d'avoir à y replonger. Du moins, j'imaginais qu'elle agitait les mêmes pensées, bien que son visage, lisse comme un ivoire, gardât son mystère. Et seule l'envie de lui dérober un peu de son secret m'excitait.

« Je sais qui tu es, reprit-elle.

— Un malotru.

— J'ignorais alors ta souffrance. Bernard m'a tout expliqué. »

Elle me rappelait mon mal, sur lequel elle avait soufflé, depuis notre dialogue, comme une thaumaturge. Et elle me le rendait en faisant de sa présence un acte de pitié. Je le contestai :

« Je ne suis pas à plaindre, puisque je suis là. »

Elle suivait sa pensée, soucieuse de vérifier l'authenticité du portrait que Bernard lui avait brossé. J'appartenais à cette cohorte de journalistes exceptionnels qui trimardent le monde dans leur valise et se jouent allégrement de tout, obstacles, dangers, amours, avec la magnifique désinvolture d'un Robin des Bois. J'entrai dans le jeu.

« Tu me reprochais, tout à l'heure, de ne pas avoir remercié Dieu de sa mansuétude. Sans doute ignores-tu que je suis mieux placé que toi auprès de lui. Saint Pierre, en effet, a dit : " Tu mérites le ciel si tu as parcouru la terre, car tu peux apprécier la création et comparer. " Crois-moi, c'est une bénédiction de pouvoir apprécier la création. »

Elle sourit et emplit les coupes. J'humectai son front de mousse de champagne.

« *Bakht tu ké*, disent les gitans. La chance soit sur toi ! »

Du bout des doigts, je caressais son front entre les deux yeux, et elle ronronnait comme une chatte. Elle répétait « *Bakht tu ké* », pour graver en elle cette formule, à laquelle elle donnait un pouvoir incantatoire. Je jouais les initiés, alors que j'étais aussi innocent qu'Aleko devant Zamphyra, dans le poème de Pouchkine « Les Tziganes ». Et j'attendais d'elle, au contraire, la révélation de sa nature insolite.

« Et toi, qui es-tu ?

— Quelqu'un sans importance.

— Je ne te demande pas de me raconter ta vie. Mais je

n'ai jamais eu l'occasion de bavarder avec une Indienne. »

Elle ne me croyait pas. Je lui dis mes rencontres avec des filles de sa race, les unes frustes et inabordables, les autres frelatées.

« Je ne suis pas pure, moi non plus... »

Elle dodelinait de la tête et faisait couler sa chevelure sur son visage. Puis, pour mieux se délecter de son effet, ses yeux dans les miens, elle troqua, le ton à l'ironie, l'allemand contre le français :

« Je suis de Cuzco, Inca par ma mère, de la famille de Tupac Amaru, le dernier grand résistant indien de chez nous, qui se dressa contre la " mita ", le travail forcé dans les mines. Je m'appelle Amalia Bermudez, espagnole par mon père, avocat... »

Sa maîtrise très honorable du français, à peine nuancé d'intonations hispaniques, elle la devait aux religieuses de Sainte-Rose de Lima, ce qui attestait, une fois encore, que l'Eglise fit davantage, pour la propagation de notre langue, que tous les services culturels officiels. Amalia avait commencé par l' « Ave Maria », pour se gargariser ensuite des polissonneries de Georges Brassens. Et elle crut orienter son destin, sous la protection du Christ du Corcovado, en se donnant à un touriste allemand dans la frénésie du carnaval de Rio.

« Je l'ai suivi malgré mes parents, et nous nous sommes mariés à la cathédrale de Cologne. »

Ce grossiste en textile valait cher son aune de drap, mais leur amour de confection s'élima et se déchira au bout de quatre ans.

« J'ai travaillé comme interprète et hôtesse dans les manifestations internationales, en attendant que l'on ait oublié, chez moi, ma fugue et mon divorce. C'est mal vu là-bas. »

Les Jeux Olympiques mettaient un terme à cet ostracisme.

« Je repars demain pour Lima... Ma famille m'y a préparé une seconde vie... »

Elle s'était résignée mais, à la veille de franchir le Pot-au-Noir, appréhendait le saut dans l'inconnu. Je devinais la silhouette d'un mari sur la morne « puna » suspendue à la chaîne des Andes.

« C'est donc ta dernière nuit d'indépendance... »

Je craignis qu'elle ne se méprenne sur une invitation à la licence. Je désirais, au contraire, lui offrir une nuit bien pleine, où elle demeurerait maîtresse d'elle-même à chaque instant afin d'être captive de ce souvenir, et que je le peuple.

« L'indépendance, pour une femme, c'est dur à porter et à défendre. Ne parlons plus de moi... Tu restes longtemps encore ?

— Je rentre demain à Paris. Mais ma famille ne sait pas que j'aborde une seconde vie.

— Pourquoi ?

— Parce qu'elle ignore que j'ai failli mourir. Or, quand on a vu la mort sur soi, en soi, on réévalue son existence et son monde.

— Je crois qu'il en va ainsi lorsqu'on décide d'effacer son passé. Avec cette différence que revivre a un côté heureux, tandis que refaire sa vie ça n'est jamais qu'un replâtrage, une façade... La lézarde demeure sous le crépi. Mais il sera toujours temps de pleurer », soupira-t-elle en se levant.

Elle se tenait bien droite, les épaules rejetées en arrière, l'œil dur et lointain, et semblait toiser ceux qui l'attendaient au bout de sa nuit la plus longue, celle de son retour, fantômes qu'il lui faudrait bientôt toucher du doigt dans le désenchantement d'un matin. Elle ne s'aperçut pas de ma peine à me mettre debout. Et lorsque je m'appuyai sur son épaule, elle se pressa contre moi. Je caressai sa chevelure qui tombait jusqu'au creux de ses reins, et doucement la tirai pour relever vers moi son visage. Ses yeux brasillaient sous les battements soyeux des cils et ses lèvres fondantes laissaient entrevoir les touches nacrées de ses dents. Je tombai dans le piège du baiser, et mon mal me cloua dans le grincement d'une plainte...

« Chéri ! » murmura-t-elle.

Ce « chéri » me déçut. Il avait la banalité des mots d'amour de circonstance et brisait le charme. C'était le « chéri » passe-partout des femmes faciles ou qui redoutent les confusions de prénoms. Je maintenais levé, d'une poigne un peu rageuse, le visage d'Amalia. Ma manie de la possession absolue me rendait stupide. Elle ne m'avait certes pas attendu pour sérier des « chéris ». Le secret d'une rencontre, au plaisir partagé, c'est d'être bien dans sa peau et dans la peau de l'autre, de demeurer soi à deux pour sa durée, de n'éprouver ensuite ni dégoût, ni lassitude, ni regret. Qu'importait alors ce qui l'avait précédée et ce qui allait suivre !... Son corps collait au mien, mais je ne pensais toujours pas à faire l'amour. Je lâchai sa chevelure, renonçant à la conquérir. Elle se haussa aussitôt sur la pointe de ses patins pour m'embrasser. Des applaudissements drus roulèrent vers nous. Nous avions le bar enluminé pour public. Un chœur aviné entonna « Lily Marlène » et retrouva son aplomb pour scander cette romance guerrière qui m'avait maintes fois donné la chair de poule naguère. Je ne la concevais qu'avec accompagnement de bottes et le piétinement sur place des soudards me ramenait une trentaine d'années en arrière.

« Sans doute n'étais-tu pas encore née, Amalia, lorsque

l'armée allemande défilait chez nous aux accents conquérants de cette marche ?

— Pourquoi la chantent-ils, ce soir ?

— Quand on est soûl on repart facilement en guerre, et la première prise dont on rêve, c'est celle d'un jupon.

— Même sans boire, ça ne change guère.

— Mais ça se chante alors sur un autre ton.

— Si j'en juge par mon expérience, ici, c'est toujours la même chanson. »

De réputation, Véronika se méfiait de la séduction à la française, et la pratique lassait Amalia des assauts à l'allemande. Cette routine de l'amour qui, dans chaque pays, sacrifie moins à la nature qu'aux usages, assure ainsi la fortune du vagabond. Au mépris des horizons, il fait toujours, lui, l'amour sans façons. Le dernier refrain désaccordé de « Lily Marlène » nous ramena, main dans la main, vers le bar. Il n'y avait plus de champagne et les « prosit » se célébraient désormais au schnaps. Bernard vérifiait sa caisse et s'apprêtait à passer la main. J'esquivai de justesse la tape magistrale qu'il destinait à mon dos. La suite des événements m'a révélé qu'en cet instant précis je venais de réaliser la feinte de corps de ma vie. Déjà éméché et grisé par sa recette, il jaspinait sans arrêt malgré les injonctions au calme de Monika. Elle ne put l'empêcher, en l'arrachant au bar, de couronner son triomphe par une diatribe en patois, où il mettait au compte des réparations de guerre le substantiel indu de marks qu'il venait de rafler avec maestria. La troupe, abrutie d'alcool, saluait son départ de hourras. Il les couvrit d'un tonitruant :

« Dans le cul, Lily Marlène ! » appuyé d'un geste obscène du bras.

« Sacré bonhomme, me dit-il en m'entraînant, même avec

une gueule cassée, au premier coup tu accroches. Une chic fille, Amalia... Tu verras... »

Elle fit celle qui n'entendait pas. Monika était danoise, le cheveu court et follet d'un blond cendré. Son allure menue donnait à sa jupette plissée des audaces de tutu. Elle avait imposé son règne incontesté sur le « Milk bar » et mené à bien, avec l'irrésistible atout de cette indifférence canaille des filles scandinaves, depuis longtemps en avance d'un sexe dans la course à l'érotisme, un prosélytisme militant pour les boissons lactées. On ne lui connaissait aucune défaillance et Bernard, sans jamais relâcher sa vigilance, avait, une fois pour toutes, fondé sa sécurité de mâle sur un axiome savoureux :

« Moi, cocu ? Par qui ? Il n'y a que des pédés pour aller siroter sa bibine... »

MUNICH en veilleuse jetait au ciel sans étoiles un reflet roussâtre, comme un foyer qui vacille dans la gueule de suie de l'âtre. Les alchimistes des Jeux avaient plié boutique après la flambée, pour la plupart, de leurs illusions. Au fond de la rue rougeoyait le restaurant « Chez Belmondo », antre dernier de cette cabale olympique qui, par-delà siècles et millénaires, renoue la communication, tous les quatre ans, avec de fabuleux héros. Nous nous donnions le bras et je marchais entre les deux filles. A ma gauche, Bernard et Monika se baisotaient. Je ne pus soutenir leurs tiraillements, ni le rythme trop allègre de notre allure. Il y avait, dans ma tête vide, une crécelle, irritante par sa crépitation sèche, qui orchestrait le concassage de ma nuque.

« Nous nous avançons pour retenir la table et commander le menu, dit Bernard. Ne traînez pas trop, sinon nous ne serions pas servis... »

Amalia releva que flirter au coin des rues n'était plus de son âge. Je ne sais où son œil noir captait son éclat. Il me vrillait. Elle pesait à mon bras et collait à moi pour mieux ajuster son pas sur le mien. Les crispations qui couraient dans mon crâne me contraignaient à serrer les dents et m'empêchaient de parler. Amalia les enregistrait car je sentais les frémissements de sa main. Elle guettait ma souffrance, mais se taisait pour me laisser m'expliquer avec elle. Comme nous touchions le seuil dans une hémorragie de néon, elle hasarda, timide :

« Il eût sans doute été plus sage d'aller se coucher. »

La remarque était si impersonnelle, d'apparence, qu'elle avait le ton d'un reproche conjugal. Bernard avait vraiment composé un médianoche de gourmet : caviar, saumon fumé, homards grillés. D'un doigt expert, il imposait une rotation de toupie à une bouteille de Dom Pérignon fichée dans la débâcle d'un seau à glace. Une certaine mélancolie embrumait cependant ce réveillon sans lendemain. Amalia transitait entre deux passés, celui de son échec et celui de sa résignation. Elle épuisait les derniers instants d'un présent d'autant plus précieux, pour elle, qu'elle lui demandait l'oubli. Bernard et Monika s'apprêtaient aussi à tourner la page, celle de l'un de ces feuilletons de pacotille qui vous bâclent la matière d'un roman, et précipitent le dénouement quand on vient à peine de goûter aux préliminaires. Et j'éprouvais, moi, mon ennui classique des ruptures d'escales, lorsque l'on rembarque sans avoir eu le temps d'en flairer les dessous. Il me fallait toujours faire un brin de cour aux villes, comme aux filles, avant de les attaquer et, souvent, les unes et les autres m'échappaient en cours de pelotage, sans avoir fait l'amour.

Un trio d'hippies, chanteurs et guitaristes, avait mis au point un intelligent assemblage de « tubes » internationaux, pour s'offrir des vacances sous l'égide du « grand rassemblement pacifique de la jeunesse mondiale ». En échange d'une platée de cochonnaille, ils nous régalèrent, à la demande d'Amalia, d'un récital Georges Brassens, qui dissipa le cafard. Elle chanta en solo « Le fantôme », « Le bulletin de santé » et « La fessée ». Puis nous spéculâmes sur les choses toutes faites, l'étroitesse du monde, où l'on se coudoie tous un jour ou l'autre, l'immobilisme des montagnes qui, seules, ne se rencontrent jamais, la fatalité des carrefours, où l'on se croise comme se recoupent les routes de la musique et de la poésie et la transformation du hasard, dès que s'éveillent les sens et l'amour, en prédestination.

Ma tête s'était calée en fonction de mon estomac. Repu, je ne vibrionnais plus nerveusement sur ma banquette. J'avais circonscrit ma douleur par une rigidité d'automate. Le dressage du mal se fait ainsi de façon empirique. On apprend, à l'expérience, la meilleure manière de le caresser, de le flatter pour l'endormir, on sait comment le réveiller, pour contrôler sa présence, mais en évitant la griffe et la morsure, et il arrive parfois qu'on le provoque, pour le plaisir sadique de se mortifier. Il m'a fallu tout de même de longs mois, mêlant la technique et l'artifice, pour dompter ce maudit torticolis qui se rebelle encore et me tiraille, même jusqu'au bout des doigts, comme on l'avait tant redouté au soir de mon rendez-vous avec cette vieille vache de « Mercedes ». Mais c'est « Chez Belmondo » que je me suis initié à ce difficile dressage qui ne suppose aucune distraction, car la douleur réagit sans pitié, aussi vive et inopinée qu'un fauve. On acquiert ainsi, par l'éveil constant des sens et un défi soutenu, un heureux équilibre, celui de la cage, qui fortifie ensuite, quand on en sort, contre la veulerie. Et lorsqu'on a appris à fouetter la souffrance pour la maîtriser, on garde la cravache prompte dès que l'on se replonge dans la faune de tous les jours. On devient volontiers dur et brutal. Si je m'étonne d'une rudesse contraire à ma nature, j'attribue ce changement à Amalia. Par son voisinage éphémère, elle m'a rendu cet esprit sauvage où l'instinct retrouve sa primauté et ne pardonne pas la faiblesse. Quand je rappelle ainsi les femmes qui, hors chez moi, m'assistèrent dans mes principaux coups durs, c'est la fugace Amalia qui accourt la première, bien avant la sensuelle Dolorès et, loin derrière, trottine Véronika la brave. Elle se trouva placée au dédoublement de mon existence, selon l'enchaînement mystérieux qui, depuis bien longtemps, m'avait conduit à cette échéance.

Donc, je me sentais bien « Chez Belmondo », aux côtés d'Amalia. Empressée, elle beurrait mes toasts, les tapissait de caviar, découpait les tranches de saumon fumé, décortiquait le homard, ne laissait jamais vides le godet de vodka ni la flûte à champagne. Raide, le dos plaqué au dossier, la tête fixe comme si j'étais affublé d'une minerve, je mangeais mécaniquement et buvais de même, d'un coup sec du poignet. Le vieux maître d'hôtel balafré qui cultivait, avec son cheveu en brosse et sa moustache en croc, les derniers attributs d'une certaine tradition prussienne, ne put s'empêcher d'admirer :

« Monsieur se comporte à la façon d'Eric von Stroheim dans *La Grande Illusion*. Un bien beau film. »

Une histoire de caste, du temps où la guerre se regardait à la lentille d'un monocle et demeurait encore marquée d'une courtoisie de vieux schnocks.

« Sais-tu que nous approchons de trois heures et qu'il nous reste peu de temps à partager ? murmura Amalia.

— Sais-tu que tu pourrais être ma fille ? dis-je.

— Tu n'aimes pas bavarder en tête à tête avec ta fille ?

— Déclarez tout net que nous sommes de trop ! plaisanta Monika.

— Je pense qu'il devrait se coucher, insista Amalia. Tout le reste me paraît secondaire...

— On dit ça... » ironisa Bernard.

Amalia répliqua avec la vivacité de la franchise :

« S'il en allait ainsi nous serions déjà partis, avec ou sans votre permission, depuis un bon moment. A moins qu'il n'ait pas voulu. Je me préoccupe avant tout de son état... Je ne confonds pas amour et bagatelle. »

J'étais en paix et nullement pressé de regagner ma chambre, même pour quelques instants d'intimité avec Amalia. J'appréhendais, certes, un phénomène d'inhibition, mais je redoutais surtout de galvauder, dans la banalité d'une satisfaction physique, l'enchantement d'une rencontre qui se situait, pour moi, au-dessus du nombril. Pour faire diversion, j'assurai qu'à mon avis les coucheries de hasard, professionnelles et hystériques exceptées, trahissaient le plus souvent, chez la femme, une rancœur intime, le ressentiment d'une déception ou le soulagement d'une vengeance. Les motifs de cet encanaillement, soutirés en lisant le passé dans le succin du whisky, la mousse du champagne, ou le cerne des matins d'abandon, offraient même, en général, le seul attrait de ces accouplements trop sophistiqués pour ne pas être insipides. J'avais un exemple gratiné :

« Une nuit, j'ai ainsi relâché dans le lit d'une bourgeoise consistante que rien, logiquement, ne prédisposait à devenir mon hôtesse. Dans une telle situation, le naturel et la liberté de ses façons me surprirent et me déplurent. Je poussai la muflerie jusqu'à lui en faire la remarque. Elle ne se démonta pas :

« C'est pourtant la première fois que je trompe mon amant ! dit-elle.

— A d'autres !

— Je te le jure. Hier, c'était impensable. Demain, ce ne sera plus à faire. »

Sa démonstration était, si j'ose dire, d'une pureté attendrissante :

« Voilà quinze jours que je joue la comédie à mon mari, avec la complicité d'une amie, pour retrouver ici, pendant quarante-huit heures, mon amant. Nous ne nous sommes pas revus depuis les vacances dernières, il y a trois mois. C'est là, d'ailleurs, que tout a commencé. Je viens de faire huit cents kilomètres en train et nous devions, ce soir, dîner et passer la nuit ensemble. Je ne me suis pas trop souciée de son retard, car un médecin est toujours à la merci d'une urgence. Et il m'a téléphoné qu'il ne pouvait absolument pas me rejoindre, en raison d'un repas de famille imprévu où son absence ne manquerait pas d'éveiller les soupçons de sa femme. Furieuse, je me suis dit : “ Tant pis pour lui !... ”. J'ai cherché la plus proche boîte de nuit... Et tu y étais, chéri. »

Elle ne trahissait pas, la chérie, le secret de son aisance, qui confinait à l'impudeur. Mais l'analyse était évidente. En me cajolant et me câlinant comme si j'étais son Jules, elle savourait sa revanche. Le plaisir auquel elle s'appliquait, elle ne le prenait pas avec moi, mais contre son amant. C'était délicieux, deux fois délicieux, pour elle d'abord qui, l'esprit et les sens enfiévrés, se prenait au jeu, pour moi ensuite, comblé par son zèle et le spectacle de sa rage. Elle avait éprouvé cependant le besoin de minimiser son dévergondage :

« J'ai trompé mon mari uniquement avec mon amant, mon seul amant. Tu es le second, mais d'occasion... »

Le rôle me suffisait. Par principe et précaution, je n'avais jamais tâté de femmes de location. J'aimais aussi les bonnes reprises et j'exploitais alors des erreurs de conduite ou des accrochages bénins. Et je ne me suis jamais fait d'illusion sur les béguins. Ils coiffent, le plus souvent, de simples froissements ou quelques ratés de cœur.

« Nous sommes donc trois cocus à la fois, dis-je.

— Comment, trois ?

— Ton mari, ton amant, et moi, puisque tu as fait l'amour en pensant à l'autre. »

Elle acquiesça en riant :

« Très juste... »

Le matin, tandis qu'elle se mignotait, le téléphone sonna. C'était le médecin. Elle râla, avec une œillade à mon adresse :

« A cause de toi, assurait-elle, je n'ai pas dormi de la nuit. »

Il devait se confondre en jérémiades, qu'elle sanctionnait d'un leitmotiv hautain :

« Pourquoi donc serais-je à ta disposition ? »

Elle le maltraitait pour mieux se faire désirer.

« Chambre 379 », concéda-t-elle comme à regret.

Elle raccrocha et crut devoir motiver son acceptation :

« Je ne pouvais le faire languir plus longtemps, après trois mois de séparation. Il prétend ne pas coucher avec sa femme.

— Et toi, avec ton mari ?

— Ce n'est pas pareil... »

Je vous raconte cette histoire amusante parce que le dépit et la jalousie, je crois, font plus de cocus que l'amour. Mais s'il est vrai, comme dit Léautaud, qu'il ne saurait exister d'amour sans jalousie, on aboutit à un syllogisme radical : il n'y a pas d'amour sans cocu. Or, avec une once de jugeote, ce postulat conduit à la sérénité. Et l'on inverse ainsi la fatalité. Car la sérénité exclut la jalousie, donc l'amour, et supprime par conséquent les cocus.

Perplexes, mes amis trébuchaient sur ma démonstration :

« Il y a quand même des cocus ! » objecta Bernard.

« Certes... Mais des cocus sans amour, donc sans raison... Nous sommes cernés de faux cocus ! »

Mon sophisme les égarait. J'étais assez satisfait de ma tirade improvisée. Je venais de retrouver le goût de la plaisanterie, et cette humeur gaillarde me rassurait sur la récupération de ma caboche. Bernard avait noté ce regain de moral.

« Je commençais à me demander si tu savais encore rigoler.

— La présence d'Amalia m'a redonné une certaine assurance.

— Et aussi celle de tes amis, corrigea-t-elle.

— Bien sûr... »

On se félicita avec un jet de Dom Pérignon.

« *Bakht tu ké* », dit Amalia en me baptisant.

Un chariot amenait une collection de tartes et des ananas huppés. J'étais saturé. Tandis qu'ils s'attaquaient aux pâtisseries, je terminai mon histoire :

... Comme je prenais congé de la nana en trahissant une gêne hypocrite pour avoir abusé de la situation, elle se donna allégrement bonne conscience :

« Ça lui fera les pieds...

— Tu ne vas pas le mettre au courant !

— Pourquoi pas ?

— Et alors ?

— Il ne me croira pas, du seul fait que je le lui dise. Vous souffrez d'un curieux aveuglement, les hommes : vous pouvez tout vous permettre et ne concevez pas la réciprocité chez les femmes.

— Je ne vois donc pas l'utilité de l'informer.

— Si... pour mon plaisir... Il faut que je me soulage de son lapin d'hier soir... Et puis ça l'excitera... Il me fera bien l'amour... »

Je restai coi.

« Zut ! s'écria-t-elle, je dois encore me démaquiller... *Bye, bye*, chéri... »

Dans l'entrebâillement de la porte, elle me souffla un baiser sur la paume de la main, mais ne put retenir l'aveu de la fin :

« C'est quand même lui, le vrai... »

Un rayon de bonheur auréolait son visage, désormais sans malice. Quand on aime, il n'existe pas de vice.

« Je le crois », approuva avec force Amalia.

« Je crois aussi que la déception justifie bien des faiblesses chez les femmes », reprit Monika.

Bernard se voulut visé :

« Voilà pourquoi on ne sait jamais, même quand vous faites l'amour, qui occupe votre crâne. »

Monika soutint habilement la contrepartie :

« Reste donc avec moi, au lieu de rentrer chez toi, et tu n'auras pas à te poser de question à mon sujet.

— Je voulais parler des filles de rencontre », rectifia confusément Bernard.

« Dans ce cas, qu'est-ce que ça peut te faire, ce qu'elles ont dans la tête ? » triompha Monika.

Le champagne n'était pas étranger à l'aigreur du ton, mais Bernard et Monika ne pouvaient plus cacher leur commun dépit d'une séparation prochaine. Je poussai la boutade pour emmieller le climat :

« Après tout, l'amour, c'est comme les auberges espagnoles. Chacun s'y régale de ce qu'il apporte... »

Elle purgea le débat de son atmosphère de règlement de comptes. Amalia lui rendit son caractère intime :

« Je suis venue aux Jeux Olympiques chercher l'oubli. Je ne vous apprends rien. Ça se voit, ça se sent, et Monika le sait depuis le premier jour. Pas l'oubli d'un homme ni d'un passé, l'oubli de moi. Mais en dépit de toutes les distractions, je n'avais pas réussi, jusqu'à cette nuit, à me quitter. A présent, je ne suis plus hier et je me moque de demain. Je vis. Tu me dis que je t'ai redonné ton assurance. Je te dois, en échange, une liberté dont j'avais, depuis longtemps, fait mon deuil. Appelez ça comme vous voulez. Mais il n'y a pas autre chose dans ma tête. Et mon corps ne compte pas. Oui, l'amour, ça se passe d'abord dans la tête. La preuve, ces coucheries stupides sur une déception, une vengeance, un coup de cafard. Quelle femme n'y songe pas, n'y cède pas ? »

Monika s'était lovée sur les genoux de Bernard.

« Nous rentrons, Amalia ? » dis-je.

La nuit s'éteignait. La braise des dernières lueurs de la ville couvait encore sous la cendre froide d'une aube lointaine. Amalia avait repris mon bras :

« Ce qu'il y a dans ma tête, murmura-t-elle, j'aurais préféré ne le confier qu'à toi, plutôt que de le confesser devant les autres. »

Dans le sombre chaos de la Cité de la Presse, les veilleuses des postes de garde creusaient des niches de troglodytes. A chaque pas, le gong de ma douleur vibrait dans mon crâne. J'avançais comme un robot, guidé par une fille qui me conduisait à mon lit, ni par pitié, ni par désir, simplement selon une fantaisie sans calcul qui l'engageait tout entière. Mais cette fantaisie avait une autre dimension que l'amour.

C'était plutôt une de ces complicités de femme qui viennent à point nommé recouper le destin d'un homme. Dans notre dos, Bernard et Monika, attardés pour le paiement de la note, croquaient le gravier à pas pressés. Nous les attendîmes devant le numéro cinq.

« Venez me prendre à neuf heures et demie, dit Amalia ! Mon avion décolle à midi, mais les contrôles n'en finissent pas.

— J'amènerai tes valises bouclées et préparerai ton sac de cabine », promit Monika.

Ma clé pendait seule au tableau. L'immeuble nous appartenait. Nous sommes montés tout naturellement chez moi, comme si nous rentrions chez nous. Ni l'un ni l'autre ne nous en étonnâmes. Elle fit le tour de la chambre avec une curiosité féline, à la manière des chats qui identifient au préalable les moindres objets de leur nouvel univers. Si elle pensait flairer la femme, elle en fut pour ses frais. Pareillement si elle se figurait trouver, chez un journaliste nomade, autre chose que la pagaille romantique du voyage. Je tirai les rideaux, me dévêtis et passai dans la salle de bains. Alerté par les borborygmes des tuyauteries, Karl accourut, en pyjama, gratter à la porte. Mon retour le libérait de ses angoisses.

« Dix fois, je suis venu, monsieur. Vous jouez vraiment avec le feu. »

Son visage, bouffi par l'insomnie, s'écarquilla au bruit d'allées et venues derrière la cloison :

« Vous n'êtes pas seul ?

— Non. Une fille a tenu à me border. »

La stupeur le disputait, chez Karl, à l'admiration :

« Une femme, la dernière nuit, et dans votre état, quand vous auriez pu en amener vingt depuis le début !...

— Il n'y a pas de programme organisé, pour les paumés. Ils se retrouvent quand ils le peuvent. Porte-nous sans faute le café à neuf heures.

— Alors je vais bientôt commencer à le passer. »

Il restait planté sur le seuil.

« Va donc te reposer, comme moi, deux ou trois heures... »

Il hochait la tête :

« Comme vous ? Vous plaisantez... Mon père a raison. Vous, Français, ne faites jamais rien comme tout le monde... »

Pour se déshabiller, Amalia avait éteint et jeté ma robe de chambre sur ses épaules. Elle flottait dans la pénombre, de la penderie à la salle de bains, comme un ectoplasme. Je m'étais couché sur le côté gauche, dos au mur, afin de lui laisser la meilleure part du petit lit de camp. Elle se découpa un instant, dans sa nudité parfaite, comme une ombre chinoise sur l'écran louche des rideaux, puis s'allongea doucettement face à moi. Nous ne nous touchions pas. A peine nos pieds s'effleuraient-ils. Je lui dis qu'elle allait tomber. Elle ordonna :

« D'abord, je veux que tu t'étendes sur le dos. Tu seras moins mal. »

J'obéis, car l'exiguïté du lit me contraignait à une position en porte à faux, et je commençais à m'ankyloser. Elle m'aida à glisser bien à plat et se plaqua contre moi, sa jambe et son bras gauches par-dessus mon ventre et ma poitrine. Elle avait posé sa tête sur mon épaule. Je sentais le velouté chaud de son pubis sur ma hanche, le mamelon d'un sein rouler sur le mien, le friselis soyeux de sa chevelure sur mon flanc. Je passai mon bras sous son buste et l'arrimai, car elle était en bascule à l'extrême bord du lit. Sur sa peau de tussah, les timides infiltrations de l'aube faisaient courir des paillettes. Elle avait, sous ma caresse, des tressaillements d'animal craintif et chatouilleux. Ce n'était pas une de ces routières de l'amour qui, sitôt couchées, prennent leur régime de croisière.

Elle chuchota :

« Parle-moi de tes reportages. Bernard m'a dit que tu avais fait plusieurs fois le tour du monde, vécu des guerres et des révolutions, rencontré les chefs de nombreux pays.

— Un bilan tout à fait normal pour mon métier.

— Pourquoi l'as-tu choisi ?

— Je ne l'ai pas choisi. Les circonstances m'ont mis à vingt-trois ans sur la route, et je ne l'ai plus quittée. Quand on est sur la route, qu'on vit avec elle, on ne peut plus la quitter. On veut aller toujours plus loin, au-delà du virage. Sur le chemin de ma montagne, je sais les premiers rendez-vous des violettes et ceux des fraises des bois, je connais les taillis que le sanglier fouit de son butoir, et aussi des tanières de renards, les recoins où le coq de bruyère tient, aux petits matins de printemps, ses cours d'amour suicidaires. Mais il y a toujours du nouveau aux détours de mon chemin de la montagne. Alors, tu imagines, au hasard des chemins du monde. »

Je ne sais pourquoi nous parlions bas, comme si nous n'étions pas seuls. Sans doute pour ne pas troubler notre quiétude ni fausser par un éclat de voix l'harmonie de notre communion. Je dis encore que le pire était une route droite, toute tracée, fastidieuse et désespérante, parce qu'on n'en voit pas le bout, et dont on sait qu'elle banalisera la vie sur sa rectitude sans surprise...

« Celle qui m'attend. »

Le souffle d'Amalia chatouillait ma poitrine.

« Parle-moi donc de tes reportages pour que je puisse me les raconter ensuite à moi-même. Ça me permettra de m'oublier encore en revivant cette nuit. Pour s'oublier, tu vois, il faut savoir se souvenir.

— Je sais aussi que la volonté d'oubli est une forme de l'amour. »

Elle préférait l'évocation de Dien-Bien-Phu au couronnement de la reine Elisabeth, la révélation du génocide kurde aux amours du Shah d'Iran, mon stage insensé dans les maquis de la brousse africaine aux campagnes présidentielles américaines, ma sauvage chevauchée mongole en Chine aux paradis artificiels de Hong-Kong, Bangkok ou Taipeh. Elle avait le goût de la violence.

« Tu pouvais cent fois mourir.

— Chacun sait qu'il doit mourir. Mais nul ne connaît le jour, le moment, ni le lieu de sa mort.

— C'eût été absurde que tu sois tué par une voiture.

— Jusqu'à présent, la mort m'était étrangère. Désormais je la connais personnellement.

— As-tu jamais désespéré ?

— Non. Mais l'espoir n'est plus, pour moi, qu'une rémission de la fatalité.

— C'est-à-dire ?

— Un sursis, une grâce. Peut-être même un oubli...

— Moi, la fatalité m'a reprise sans rémission. »

Elle se blottissait contre moi comme pour lui échapper. Nos corps, peau sur peau, ne trahissaient aucun réflexe de désir. Elle s'en étonna discrètement :

« Tu as dû en connaître des filles, aux quatre coins du monde.

— Quand on a bourlingué, la jouissance vient de l'événement plutôt que de la bagatelle. Si l'on y cède, c'est encore pour l'oubli, celui de la solitude... »

Sa cuisse me ceintura plus étroitement. Sa main se crispait sur ma poitrine. Elle sortait et rentrait ses ongles, qui mordillaient ma peau. L'aube montante délayait la pénombre de la chambre. Je crois qu'elle a fait l'amour. Je la vois à cheval sur moi, cambrée, les seins moulés dans la paume de ses mains. Puis elle se laissa tomber sur ses bras pour me becqueter de baisers menus. Sa chevelure noyait mon visage sous son ruissellement saccadé. Elle se mit à geindre en me léchant d'une langue pointue. Son désir et ma souffrance s'exaspéraient ensemble. Mais, avec un torticolis pareil, monsieur, même sous la plus belle fille du monde, ça va mal, monsieur, ça va mal ! Quand je me suis réveillé, elle dormait, écrasée sur moi. J'avais sombré quelques instants dans un sommeil dont on émerge mal. Je m'interrogeais sur ce qui s'était passé, à l'image de ce matin-là où j'avais été quasiment violé. Une drôle d'histoire comme il ne s'en trouve que dans les romans, et encore faut-il se creuser la tête pour l'imaginer. Malgré les années, puisqu'elle se situe avant l'indépendance du Maroc, son souvenir m'asticote périodiquement :

Le « D.C. 3 » Marrakech-Agadir, écœuré par le saut du djebel, avait dû se vomir, à la nuit tombante, dans un atterrissage forcé aux environs de Taroudant. On s'en était tiré à bon compte, avec une demi-douzaine d'amochés sans gravité, vite pris en charge par la Légion étrangère. L'unique hôtel du coin ne suffisait pas à l'hébergement. Les femmes et les enfants d'abord, comme dans tout naufrage, puis les ménages. Il était question de transformer le hall en dortoir à l'intention des hommes seuls, et ça ne me gênait point de coucher sur un tapis avec, pour oreiller, mon sac de voyage.

Je baguenaudais au bar quand un inconnu basané, rehaussé de blanc — cheveu, chemisette, short, mi-bas, souliers de toile — me convia au partage de sa bouteille de scotch. On éprouvait à l'époque quelque difficulté à s'en procurer librement mais, comme il exportait des oranges en Grande-Bretagne, il jouissait, dans certaines limites, du privilège du troc. Il avait donc, pour son usage, ses dépôts personnels dans ses étapes habituelles. Car il tournait en rond dans la région :

« Je suis colon à une vingtaine de kilomètres d'ici. Mon père administrait la vallée du Souss du temps de Lyautey. Je ne l'ai moi-même quittée qu'une fois dans ma vie, au prétexte du dernier conflit. »

Je ne pouvais faire des cachotteries sur ma personne et son intérêt pour moi grandit à mesure que se vidait la bouteille de scotch. D'apparence, le reporter était alors, au Sud-Marocain, une espèce plutôt rare. Et je n'avais aucune raison de refuser l'hospitalité d'un gentleman-farmer si courtois, lorsqu'il me proposa le couvert du soir, le gîte pour la nuit et le transport, le lendemain matin, sur Agadir.

« J'y accompagne précisément un chargement d'oranges... »

La nuit était cristalline, lumineuse et sans fond. Le bruissement des palmes ajoutait à cette splendeur constellée. Dans l'oasis peuplée de chuchotis, des torches sautillaient comme des feux follets. Elles brûlaient l'encens et la cannelle. L'immense demeure, toute blanche dans la sombre luxuriance de son nid, péchait par des enjolivements excessifs de style néo-mauresque. L'intérieur surenchérissait dans le genre par une débauche d'arabesques, de rinceaux, de colonnettes, de poufs, de coussins, de tapis et de cuivres. Chamarré comme un mameluk, un valet m'avait conduit à ma chambre, écrin capitonné, tarabiscoté, piqué de veilleuses mordorées dans des torsades de fer forgé. Des jeux de petits miroirs biseautés se les renvoyaient. Le ventilateur mobile bourdonnait dans une cage enrubannée qui frissonnait comme une fleur des îles peignée par la brise. Et elle était truffée de brûle-parfums. C'était un boudoir d'odalisque. Lorsque je redescendis, douché, rasé, je fis la connaissance de mon hôtesse. Nettement plus jeune que son mari, ni belle ni quelconque, elle avait une frimousse innocente sous une corolle emmêlée de cheveux auburn, qui lui faisait une tête de chrysanthème. Sa djellaba noire, brodée d'or et d'argent, haut fendue sur le côté, la grandissait. Elle parla peu lors du dîner et de la soirée, qui sauta minuit, se bornant à tenir avec application son rôle de maîtresse de maison. Mais je surpris plusieurs fois son regard fauve qui me dévorait. Sa prunelle avait le feu de cette pierre exotique, jaune rayée de brun, dite œil-de-tigre. Lui se montra très prolixe. Et j'appris qu'elle était italienne :

« Nous nous sommes connus à Rimini lors de ma convalescence, à la fin de la guerre. »

Le départ étant fixé à huit heures, je m'inquiétai de mon réveil. Il m'avait rassuré :

« On vous appellera à temps. Ne prêtez pas attention au remue-ménage matinal. Je dois me lever tôt pour contrôler la répartition des catégories de fruits dans les camions. Nous nous retrouverons à sept heures pour le petit déjeuner. »

Lorsque je voulus prendre congé de sa femme, il m'arrêta :

« Gina sera debout elle aussi... »

Je quémandai son indulgence pour tant de dérangement.

« Un plaisir pour moi », dit-elle.

Je n'ajoutai pas d'importance à cette formule de bienséance. Et pourquoi me serais-je alors souvenu que l'un des trois sujets de dissertation française de mon bachot portait sur l'explication et le commentaire de la formule de Rousseau, selon qui la bienséance est le masque du vice ? Jamais d'ailleurs je n'aurais imaginé que l'on pût examiner le sujet, si j'ose dire, par le petit bout de la lorgnette. Bref, je ne me suis jamais senti à l'aise sous une moustiquaire. J'y étouffe et m'y trouve captif comme dans un filet de belluaire. Mais cette fois-là je fus doublement piégé. La bête se faufila sans troubler mon sommeil, puis bondit sur moi, nerveuse et haletante :

« Ne dis rien... Laisse-toi faire... »

Elle exploita aussitôt l'un de ces matins triomphants qui facilitent les choses, même quand on ne s'en rend pas très bien compte, m'enfourcha, rauqua *crescendo* et s'abattit inerte sur moi. Abasourdi, je me dégageai de ce corps juteux et moite. Je n'avais pas rêvé. Gina gisait les yeux clos, abrutie par la volupté, et s'en léchait les babines. Je la secouai :

« Allez-vous-en !... Vous êtes folle !... »

Dehors, les oiseaux tenaient concert et s'égosillaient dans leur ivresse du soleil retrouvé. Filtré par les persiennes, il zébrait les fesses de Gina, rejetée en travers de mon ventre. Les camions ronronnaient dans l'orangeraie. Je la repoussai :

« Foutez le camp ou je vous sors !... »

Elle tourna un visage las où se figeait un sourire à la fois confus et narquois, regarda sa montre-bracelet et dit :

« Six heures, cher monsieur ! Il est temps de vous lever... »

Elle tira la moustiquaire, roula hors du lit et se drapa dans une sorte de sari. Quand elle eut quitté la chambre, je me demandai soudain comment elle était faite. Et si le souvenir de cet incident m'agace encore, c'est qu'un viol par une femme nue, à peine aperçue, et sans faire l'amour, me paraît être, dans la vie d'un homme, le comble de la déconvenue. Au petit déjeuner, d'un ton détaché, elle s'enquit de ma nuit. Une corne d'abondance en palmes tressées déversait sur la table les fruits choisis de l'oasis. Il y avait des pyramides de pâtisseries orientales, cimentées de sucre et de miel, le plateau de breakfast classique, des carafes de jus d'orange, de pamplemousse et d'ananas, un pain de sucre et le petit marteau de bronze, une gamme de confitures dans des jarres miniatures, des verseuses d'argent ciselé à poignée d'ébène pour le thé, le lait et le café. Gina s'était repliée dans sa réserve de la veille. Elle m'invitait seulement à me servir à mon gré. J'avais presque terminé lorsque son mari escalada le perron. Elle se précipita à sa rencontre, et ils échangèrent des chatteries. Bien qu'innocent, je soutenais mal son regard et croyais déceler le sarcasme ou l'ironie sous des banalités du genre :

« Goûtez donc ces cornes de gazelle... Une spécialité de ma femme... »

Lorsque je lui fis mes adieux, confondu en remerciements pour masquer ma gêne, elle dit tout haut :

« Vous serez toujours le bienvenu chez nous... »

Elle supplia son mari de ne pas se retarder, afin de lui épargner du souci. Il conduisait lui-même la jeep spécialement carrossée pour les randonnées dans la poussière des pistes, le vent de sable ou sous les grains qui, parfois, enflaient en un clin d'œil l'oued Souss. Son lit de terre grise était sec. De vieilles casbahs s'accrochaient aux flancs de la montagne, informes et presque aveugles. La vallée s'ouvrait enfin sur la route large et lisse qui fendait en son milieu la plaine nue. Nous attendîmes les camions au carrefour.

« S'il y avait de l'eau, ce serait ici un paradis, dit-il.

— Vous avez su trouver le vôtre. »

Il ébaucha un haussement d'épaules dubitatif :

« Si vous voulez... Mais un paradis, par définition, manque toujours de distractions. A moins que l'on ne se complaise dans une vie contemplative.

— Y a-t-il d'autres colons dans votre voisinage ?

— Quelques-uns, mais on se fréquente peu.

— Vos occupations vous soustraient cependant à l'ennui.

— Heureusement... S'il ne s'agissait que de moi... »

Je n'osais lui parler de sa femme. L'arrivée des camions détourna la conversation. Unie, droite, la route se prêtait mieux au bavardage que la piste accidentée, sinueuse et cahotante, où le moteur s'énervait. L'audace indécente de Gina me travaillait :

« Il passe beaucoup de monde dans la vallée du Souss ?

— Presque personne, en dehors des gens du pays et, périodiquement, d'unités militaires en manœuvre ou en patrouille.

— Ma venue a donc perturbé votre quiétude. »

Il eut un drôle de ricanement, presque sardonique :

« Au contraire, vous nous avez comblés... »

Sa réplique ambiguë, appuyée d'un regard pesant, me mit mal à l'aise. Il le sentit et enchaîna, les yeux lointains, à demi clos par le flamboiement de la route qui se fondait au loin dans le mercure tremblotant des mirages :

« Ma femme n'était pas faite pour une existence recluse, mais, à l'époque, elle n'avait pas le choix. Son père, protégé de Mussolini, appartenait à la hiérarchie fasciste. Ça lui coûta la vie et sa mère périt dans la même fusillade. Gina avait vingt-trois ans. Elle fut tondue, humiliée, maltraitée, incarcérée, puis récupérée par un officier de la justice militaire américaine. Il en fit sa maîtresse avec promesse de mariage. Démobilisé, il l'abandonna dans l'hôtel de Rimini où il l'avait entraînée pour l'égarer. Je m'y reposais après de longs mois d'hôpital. Rejetée, seule, sans une lire, elle sollicita mon aide pour un emploi quelconque dans une maison étrangère. Je l'adoptai. Mais je ne lui ai pas caché le handicap de ma blessure. Et elle accepta de partager ma vie diminuée. Depuis je n'ai rien à lui reprocher. »

Son insistance appelait l'indiscrétion :

« On ne s'aperçoit pas de cet état d'infériorité dont vous parlez. »

Il freina pour laisser le passage à un bourricot qui traversait la route, l'oreille basse, le flanc creux, le pas mollasse :

« C'était lors de l'assaut de Monte-Cassino. A la tête de mon goum marocain, je touchais presque aux ruines du monastère. Dans l'ultime charge, mes pieds accrochèrent les lacets d'une grenade piégée. Elle explosa entre mes jambes. Je suis pratiquement un homme châtré, impuissant. »

La révélation éclaboussait Gina. Malgré les circonstances atténuantes, sa voracité sexuelle me paraissait encore plus odieuse. Mais je n'étais pas au bout de mes surprises :

« Vous pensez sans doute que ma femme est une salope, dit-il sourdement... Si... Je sais... Elle a fait l'amour avec vous ce matin. »

Ma position était vraiment inconfortable. J'aurais volontiers sauté à terre pour faire du stop. Comme s'il devinait ma pensée, il fonçait, le pied au plancher. La Jeep rebondissait sur des tronçons de route en tôle ondulée. Il tenait à vider son sac pour me livrer l'exacte signification de son sacrifice du matin.

« C'est pour elle que je vous ai attiré chez moi hier soir... C'est en complet accord avec moi qu'elle vous a rejoint dans votre chambre. »

Je me tournai vers lui, outré :

« Et vous en profitiez pour faire le voyeur ! »

Il sursauta, mais rattrapa l'injure du bout des lèvres :

« Faut-il donc tout vous expliquer ? Nous avons décidé, ma femme et moi, de lier à jamais nos deux vies mutilées. Je l'ai soustraite à un destin lamentable. “ Il ne me restait plus, reconnaît-elle, qu'à devenir putain. ” Et sa présence, désormais indispensable, m'a interdit le renoncement. Cependant elle ne peut pour toujours apaiser ses sens par des artifices...

— En somme, je suis le cocu de l'histoire.

— Un rôle qui ne manque tout de même pas de charme. »

Le ton tournait au cynisme :

« Vous racolez donc des étalons de passage.

— Si peu... Deux en moins de dix ans. Un peintre suisse et vous. Pour notre équilibre commun nous écartons les risques de liaison suivie avec un sédentaire, civil ou militaire. »

La mer, à l'horizon, se confondait avec le ciel et, sur ce fond d'azur intense, se découpait le nid d'aigle de la vieille casbah d'Agadir. Cet étrange mari, qui me mettait dans l'embarras en tirant son épingle du jeu, m'invitait à présent à déjeuner. Je déclinai l'offre.

« Vous séjournez longtemps à Agadir ? dit-il.

— Trois ou quatre jours. Je veux faire un saut à Goulimine, chez les hommes bleus, puis trier et classer mes notes de voyage.

— Le peintre était resté une semaine chez nous pour fignoler ses dessins et maroufler des peintures », remarqua-t-il d'un ton qui se voulait anodin.

Je relevai sèchement l'insinuation.

« Il fallait me laisser l'illusion du béguin. Je serais peut-être revenu. Pour l'expérience et un certain goût du risque. A présent, je ne me vois pas faisant l'amour à votre barbe, dans le double but d'assurer votre tranquillité pour la durée d'un nouveau quinquennat et de purger votre femme de ses rêves phalliques. Pardonnez-moi, mais vous êtes vraiment désaxé !

— Vous ne pouvez pas comprendre ! » soupira-t-il comme nous entrions en ville.

Je débarquai sur le port.

« Merci quand même ! » dit-il dans le ferraillement des camions qui manœuvraient.

« De rien ! »

Je n'eus pas le courage de refuser la main pitoyable qui, dans l'attente d'un troisième homme, allait faire des papouilles à Gina.

Amalia dormait si béatement que je n'osais bouger. Elle faisait vibrer ses lèvres au rythme de son souffle, et ce léger vrombissement emplissait la chambre. Le jour imbibait les rideaux et sa clarté, de plus en plus crue, repoussait vers le lit les dernières bavures d'ombre. Le soutien-gorge et la culotte, accrochés aux boutons du poste de télévision, composaient une nature morte insolite. A contre-jour, elle symbolisait l'importance que notre époque accorde à l'érotico-visuel. Il n'y avait eu, encore, dans cette pièce qui en verrait bien d'autres, ni soutien-gorge ni culotte. Et nul ne se douterait jamais que la première femme de ces lieux fut une Indienne. Ce secret m'appartenait. Il n'offrait en soi d'autre intérêt que celui de l'anecdote avec, dans le matin crayeux qui accentuait les contrastes, la vision divine d'une de ces « vierges aux seins d'ébène belles comme les beaux soirs ». Je m'accrochais à des images car le jour démythifiait, soudain, ma nuit avec Amalia. Ses péripéties n'avaient en effet rien d'exceptionnel et, dans un état normal, je me serais peu soucié des bleus à l'âme de ma partenaire occasionnelle, sinon pour lui offrir le baume d'une compassion intéressée. Or, emporté par un romantisme désuet, je m'étais laissé entraîner sur la pente redoutable de la prédestination et me trouvais ainsi encombré d'une fille paumée, qui faisait de notre rencontre le tournant de son existence. Certes, il ne s'agissait pas d'un de ces coïts de hasard où, la bagatelle assouvie, le retour sur terre rend ridicule ou agressif. D'abord, avais-je seulement fait l'amour ? Je n'éprouvais si désenchantement ni aversion, mais je m'étonnais, une fois de plus, de cet incoercible attrait du nomadisme qui m'arrachait à moi-même, me rendait aveugle et me faisait tout idéaliser, jusqu'à la mesquinerie.

Pour avoir trop cédé, avec elle, au sentimentalisme, je n'avais plus rien à dire à Amalia. Et si, comme le renard du Petit Prince de Saint-Exupéry, elle me déclarait à son réveil : « Tu es responsable de moi puisque tu m'as apprivoisée », je suis sûr qu'elle resterait si je lui répondais : « Je te garde. » Mais je n'avais aucune envie de l'associer à ma vie. Et je ne me sentais en rien responsable de cette intimité d'une nuit qui ne tirait à conséquence ni pour elle ni pour moi puisque, par choix ou nécessité, nos lendemains étaient fixés. Nous nous étions simplement heurtés dans le Roub al Khali, « la demeure du vide ». Depuis que, toujours obsédé par l'inconnu nomade, je m'étais aventuré dans ce désert le plus terrible, celui du sud de l'Arabie, j'ai ainsi baptisé les passages à vide, entre l'inconscience et le cafard, où la vie dérape ou patine. Alors, dans le vertige d'une solitude où l'on se perd parce que tout se dérobe, on s'accroche à qui vient à vous. L'osmose paraît d'autant plus immédiate et intime que l'autre erre aussi, en perdition, dans le Roub al Khali. Le rêve absorbe aussitôt le réel. Fille de race, nomade de grande tente, Amalia ne pouvait me rendre responsable d'une séduction qu'elle avait aussi provoquée. Que me dirait-elle donc, à son réveil ? Une niaiserie ? Victor Hugo a raison qui note, en substance, dans l'un de ses carnets privés : « Le premier qui parle après l'amour énonce fatalement des balivernes. » Il y a aussi ceux qui les dégoisent pendant. Avant, peu importe, car tout est permis dans l'échauffement du prélude.

Les aiguilles couraient après la huitième heure. Je décidai d'éveiller Amalia dès qu'elles l'attraperaient. Elle interrompit la poursuite peu avant son terme, d'un cri strident. Elle s'était soulevée sur les bras, l'épouvante au visage. La secousse s'inscrivit dans ma nuque comme sur un sismographe :

« Je rêvais que tu étais mort... »

Elle grasseyait, la voix cassée. Encore sous le poids de son cauchemar, elle tremblait, l'œil hagard. J'écartai le voilage de ses cheveux :

« Je te remercie. On assure, chez moi, qu'un rêve macabre prolonge de dix ans la vie de celui qui le hante. »

Des larmes roulaient lentement le long de ses joues et gouttaient sur ma poitrine :

« J'ai eu si peur, murmura-t-elle. Et c'était ma faute...

— Pourquoi ? »

Elle baissa la tête et le rideau de sa chevelure retomba. Je devinais sa pensée et sa gêne. Lorsque, le lendemain soir, je confessai au professeur Orlu qui, au sens le plus exact de l'image, n'en croyait pas ses oreilles, cette séquence galante d'un enchaînement de bévues, d'inepties et d'aberrations, où la fatalité était sans cesse remise en question et la médecine narguée avec une innocence si insolente que ma présence devant lui touchait à la fiction, il s'écria, bras au ciel :

« Tout est donc vraiment possible, avec le cul ! »

J'ai toujours été allergique aux pleurs de femme. Je dis

à Amalia de préparer un bain, que nous le prendrions ensemble. Seul, je n'aurais pu me lever. L'engourdissement de mon corps allait de pair avec celui de mon mal. Je payai cher la rançon de ma remise en marche. Tout s'était grippé, grinçait et craquait. Amalia resserra mes bandages relâchés, mon crâne avait encore saigné. Nous fîmes ainsi une dizaine de fois le tour de la chambre, sans souci de notre nudité. Puis je m'installai en fond de baignoire, dans une débauche de mousse pétillante. Amalia releva ses cheveux sur le sommet de la tête et s'assit entre mes jambes :

« Gratte-moi le dos ! » dit-elle.

Elle avait des ondulations félines et grognait de plaisir. Son buste, huilé, glissait entre mes doigts et jaillissait parfois de l'écume irisée. Je me plaisais à le modeler, à la manière d'un potier jouant avec un bloc d'argile rouge. Elle se laissait faire, toujours plus docile et souple, comme la glaise que l'on pétrit. Je m'envoûtais moi-même en façonnant cette créature pour le seul plaisir d'une domination illusoire, puisqu'elle me la retournait. Karl annonça fort à propos le café :

« Plus qu'une demi-heure », dit Amalia.

Elle revint de la salle de bains telle que je l'avais découverte la veille. La coiffure austère, plaquée et ramassée en un gros chignon roulé comme un coussinet, durcissait le relief du visage. Elle la justifia d'un ton désabusé :

« Pas besoin de fantaisie pour le voyage... Et puis... »

Rien n'avait plus d'intérêt pour elle. Sur son slip et son soutien-gorge, elle passa une petite robe pervenche, toute simple et sans fioritures, sortie de son vaste sac à main. A peine esquissa-t-elle un trait de crayon à l'angle de ses yeux. Elle rentrait chez elle comme on rentre dans les ordres. Nous évitions de parler pour nous dispenser du leurre des rendez-vous impossibles, de la comédie des espérances chimériques, de l'inanité des promesses insoutenables, en un mot, de tout le boniment des baladins de l'amour. Lorsque Bernard pianota en bas sur son klaxon, elle dit d'une voix blanche :

« Mieux vaut ne pas nous embrasser. »

Son ensemble en pékiné sur le bras, elle recula, sans me quitter des yeux, jusqu'à la porte :

« Soigne-toi bien et ne commets pas d'imprudence. »

Je cherchais en vain mes répliques. Je ne pouvais pourtant la laisser partir sans un mot. Sur le seuil elle ajouta :

« Merci. Tu m'as permis d'arriver à ce matin sans y penser. »

C'était donc une autre Amalia qui s'en allait.

Et je lui dis « Bon voyage ». Tout bêtement.

Elle força son pas dans le couloir. Je suivis le ronron de l'ascenseur puis guettai le départ de la voiture. Comme je commençais à ranger mes affaires, Karl vint aux ordres. La douleur, à nouveau, m'accaparait. Elle me paraissait plus envahissante qu'avant, comme si elle voulait se venger d'avoir été trompée une nuit. Je me calai dans le fauteuil. Karl s'imagina que le départ d'Amalia me plongeait dans la mélancolie :

« N'ajoutez pas à vos soucis, supplia-t-il. Vous la retrouverez un jour ou l'autre...

— Nous n'avons même pas échangé nos adresses... »

Coïncidence étrange, elle m'échappait comme le blondinet, le chauffard et Véronika, premiers partenaires de mon retour sur terre. A dessein le sort s'obstinait donc à escamoter tous les témoins de l'événement, comme s'il se refusait à l'avaliser et voulait ainsi me contraindre à faire avaler seul mon petit roman.

« On peut donc coucher avec quelqu'un sans savoir qui c'est ? s'étonna Karl.

— En général, on ne fait pas l'amour après contrôle d'identité. Je crois qu'Amalia, elle aussi, était tombée sur la tête. »

Karl reprit le rangement de ma valise. Le petit lit de camp chamboulé me ramena au dilemme : avec qui Amalia avait-elle fait l'amour ? Moi ou l'autre ? Moi, je ne me souvenais pas. Tout ce que je lui avais dit, c'était cette manie de l'autre de raconter sa vie. Je lui avais amené Amalia comme le colon châtré de la vallée du Souss m'avait conduit à Gina. Je m'étais personnellement borné à tenir un rôle de voyeur discret. Je pouvais rentrer chez moi sans remords. Je n'avais pas, comme un sot, couché avec une femme, la seule, juste la dernière nuit de mon voyage. « Une chic fille, Amalia... Tu verras. » C'était exact, Bernard n'avait pas menti. A force de m'enquiquiner à pinailler sur mon transfert de personnalité — maintenant, je sais à qui j'ai affaire, car l'autre se dérobe en général devant mon sale caillou — je m'assoupis. Les lèvres chaudes et moelleuses qui se posèrent à la pointe de mon nez me ramenèrent de loin :

« Amalia t'envoie le baiser qu'elle ne t'a pas donné », disait Monika.

Il y avait aussi Bernard et Karl. Mes bagages étaient prêts. Je n'ai jamais traîné sur des adieux. Tergiversations et salamalecs ne changent rien à la nécessité de la cassure, mais la compliquent et la dramatisent. La cruauté d'un départ, c'est assez pour ne pas l'entretenir par une sentimentalité sadique. Quand on me demande quel a été le tournant le plus délicat dans mon métier de témoin du monde, je réponds sans hésiter :

« Celui de ma rue, à chacun de mes voyages. »

Et pourtant la vie me deviendrait insupportable si je ne

pouvais plus le prendre. Le coin de ma rue, c'est un peu, pour moi, le cap Horn, le plus difficile, celui que l'on franchit toutes voiles dehors pour ne pas se faire rejeter dans la quiétude du port et pour se lancer dans l'enfer de la haute mer, première tentation de l'homme. Et ce tournant m'est doux, au retour, quand je rentre avec ma cargaison de sensations et de souvenirs, ivre de grand large, vidé, parfois meurtri, riche aussi, en secret, de la fraternisation avec le danger, où l'on se reconnaît tel que l'on est en se découvrant chaque fois un autre.

« Au rugby, quand on est blessé, on quitte le terrain, sinon on emmerde les copains », dit Bernard avec une affectueuse tendresse.

— Tu as raison. Je suis totalement incapable de caler une mêlée.

— Il est grand temps que tu rentres chez toi pour une sérieuse révision de la carcasse. »

Le croc qui retenait ma tête avait lâché. Ou bien la déchirure des chairs s'était élargie. Elle tombait sur l'épaule gauche et glissait légèrement en avant.

« Tu as vraiment une sale gueule. On dirait le Christ. »

Bernard s'accordait sur le grave. Ma sale gueule, je la sentais en effet se creuser, picotée par la barbe et minée par un travail de sape épuisant. Sous les bandages distendus, elle semblait se réduire comme une tête de momie.

« Si je m'étais rendu compte hier soir, au lieu de picoler, je ne vous aurais pas embarqués pour la nuit », soliloquait Bernard.

Vaguement fiancé, Karl promit qu'il me rendrait visite après son mariage, sur le chemin de son voyage de noces en Espagne. Je lui offris ce dont il rêvait, l'insigne plaqué or de l'équipe de France, joyau le plus rare de la panoplie olympique. Bernard et Monika me conduisirent à l'aéroport au ralenti. Ma tête roulait sur l'épaule, minutieusement décollée à la pointe effilée d'un couteau. Ils ne m'abandonnèrent qu'à l'extrême limite, lorsqu'ils ne pouvaient plus rien pour moi. Mon délabrement ternissait leur joie d'un rabiot de bonheur, dû aux retards des comptes d'intendance. J'eus à peine la force de contester leur souci :

« Il fallait bien que, tôt ou tard, les nerfs lâchent. Un peu de repos mettra tout en place. »

Bernard était si ému qu'il me donna sa bénédiction en patois :

« Fais pas le con ! »

La formule englobait tout, de l'alpha à l'oméga. Une psychose d'attentat paralysait l'aéroport, encerclé par la police et l'armée. Nul n'échappait à la suspicion de terrorisme. On palpa jusqu'à mes pansements, crainte qu'ils ne dissimulent quelques pains de plastic. Et une alerte à la bombe retarda de deux heures le décollage du « Boeing ». Captif du harpon qui cisaillait mon encolure, j'étais semblable à la bête à demi estoquée, chancelante, le souffle coupé, incapable de relever la tête, étrangère à la foule et qui cherche d'instinct à fuir vers son refuge pour y cacher sa misère et crever. Dans l'avion je subis la jacasserie d'un fat venant d'Oslo, qui se prenait pour Mermoz parce que, disait-il, « C'est ma ligne ». Il l'empruntait quatre ou cinq fois par an et prétendait en connaître tous les trous d'air. A mesure qu'il les annonçait, il était couillonné, car ce soir-là, Dieu le bénisse, mon ange gardien les avait rapetassés. Il n'empêche qu'à défaut de la tête, qui l'était déjà assez, ce pionnier de l'air me cassa obstinément les pieds. Ma correspondance loupée, je passai la nuit au « Hilton » d'Orly.

Lorsque, dans la salle de bains, je rencontrai mon image

minable, l'angoisse de la déchéance me saisit et me poussa tout habillé sur le lit. A la veille de retrouver ma famille, je découvrais, effaré, l'affreuse injustice de la pénitence que je risquais de lui infliger. Elle me désespérait. Je mesurais brutalement la somme de mes égoïsmes, amassée au long de mon existence vagabonde, tout entière occupée par la passion, enivrante et ambitieuse, de faire coller mon aventure personnelle avec celle du monde. L'entreprise paraît superbe au recto, mais au verso elle creuse l'absence, où s'entassent les amours galvaudées, les lassitudes saturées, les affections négligées et les inquiétudes épuisées. J'imaginais que, chez moi, cet abîme s'était, depuis le temps, peu à peu comblé et ne donnait plus le vertige. Or, après les avoir accoutumés à mon absence, Père Noël et étranger, voilà que j'allais peut-être pénaliser, jusqu'à la fin de mes jours, ma femme et mes enfants, en leur imposant l'atroce servitude de mon impotence. Dès que je fermais les yeux je les voyais me donner la becquée et me torcher. En ce quatrième soir, pour la seconde fois, j'ai pleuré. Et ce fut la première de mes nuits de veille, sentinelle à mon propre chevet, prêt à tirer, sans sommation, à la moindre défaillance. Au bout du compte il y en eut quarante-quatre.

Je connaissais, déjà, bien des « Hilton » au monde, au point d'y évoluer les yeux fermés sous toutes les latitudes. On dit que la dépersonnalisation est source de poésie. Je ne sais. Mais il y a, au « Hilton » d'Orly, une chambre qui, pour moi, ne ressemblera jamais à aucune autre. J'y ai vu se défaire ma seconde vie, celle que j'avais commencé à tricoter maille à maille, un sourire à l'endroit, un chagrin à l'envers. Quelqu'un tirait sur la laine et la roulait en pelote. L'ouvrage se rétrécissait, s'en allait, le va-et-vient de la laine se précipitait. Mais jamais n'arrivait, hélas ! la gueule de raie...

SAVEZ-VOUS, monsieur, que vous êtes un mort ambulant ? » énonça lentement, sans se retourner, le radiologue.

Il adoucissait son autorité professorale d'une onction apostolique. Entouré d'une couvée d'assistants et d'étudiants éberlués, il mirait les radiographies et tomographies de ma tête et de mon cou. Il les alignait posément, une à une, sur la largeur d'un vaste écran lumineux, comme un officiant en aube et ses enfants de chœur décorent leur autel de représentations allégoriques. A mesure qu'il déployait le jeu des clichés, des visages graves se tournaient vers le mort ambulant pour s'assurer de son existence. Dépouillé de mes bandages, torse nu, je trônais au cœur d'une sorte de mobile de Calder qui venait de replier ses tentacules anguleux après une série de passes magnétiques. Je lui devais les schémas impressionnants de mon crâne et de ma colonne cervicale. Sans mot dire, le radiologue signalait du doigt à son entourage la gravité des anomalies qu'il décelait. On me lorgnait avec insistance, la mine de plus en plus sceptique.

« Il faut être insensé pour se promener dans un tel

état », jugea-t-il en jetant sur moi le blâme d'un regard sévère.

Il mesurait ses pas comme ses paroles. L'obscure clarté de la salle suffisait pour révéler le gâchis de la radiographie qu'il me présentait d'un geste réprobateur. C'était la preuve irréfutable de ma folie. Pas besoin d'être expert en osselets ni spécialiste du squelette pour relever le déséquilibre flagrant de l'édifice. Posé sur un bout de vertèbre en surplomb, le crâne semblait sur le point de basculer vers l'avant, tandis que, sous lui, se dérobait une colonne sinusoïdale, semblable à ces échafaudages de cubes trop audacieux qui gondolent et s'écroulent. Avec un peu d'initiation, on discernait le zigzag d'une cassure et, quand on avait lu la thèse du docteur Jean, on identifiait la copie conforme du rachis d'un jeune rugbyman, mort naguère dans ce même hôpital, peu de temps après son accident. Je n'avais plus besoin d'un dessin.

Passa, sur ces entrefaites, un homme en blanc que l'on appelait « Monsieur ». L'exposition surréaliste de ma boîte crânienne, avec son ressort tordu et distendu, le surprit. Il suspendit la tétée de sa pipe et, d'un ton froid de morticole, demanda :

« Où l'avez-vous trouvé celui-là ? Claqué ? Paralysé ? »

Quelqu'un me montra du doigt.

« Vous êtes là ? s'étonna-t-il. Eh bien, restez-y ! »

Un murmure obséquieux approuva cette répartie du style « C'est vous le nègre ? Très bien, continuez ! » Et le « Monsieur » disparut, accroché à sa pipe, dont il tirait des bouffées de suffisance. Je ne lui tiens aucune rigueur de la brutalité de son diagnostic et ne saurais assimiler son propos à la fadaise de Mac-Mahon. Mais, avec la radiographie et ce commentaire, je venais d'encaisser, coup sur coup, deux directs qui me coupaient le souffle. C'était la cohue dans ma tête. En ce jeudi soir, mes tribulations s'y bousculaient, s'y chevauchaient, s'y emmêlaient, comme si, depuis le dimanche, elles n'avaient eu ni le temps ni la place de se caser dans ma mémoire. J'aime qu'on ne mâche pas les mots. Puisque vous savez ce qui s'est passé, vous imaginez le tourbillon qui peut soudain ravager un crâne en équilibre instable sur l'étroite corniche d'une vertèbre luxée et brisée, et prêt à choir dans le vide. Au spectacle de cette bande de dessins inanimés qui occupait l'écran, il paraissait inconcevable qu'un mort ambulant ait pu si bien dépenser le temps qui lui était compté.

Dès son arrivée, le professeur Orlu s'était jeté sur les radiographies. Il les déchiffra en bougonnant *crescendo*, puis explosa, planté devant moi, poings sur les hanches :

« Vous tenez donc à crever minablement ? »

Ses mâchoires crispées et ses cheveux en brosse lui faisaient une tête carrée. Il roulait des yeux agressifs où je lisais l'engueulade qu'il n'osait me flanquer. Mais je savais qu'il épancherait malgré tout son trop-plein de rage :

« Dingue... Complètement dingue ! Monsieur balade depuis quatre jours sa caboche sur un fil. Il prend son crâne pour un yo-yo... C'est de la débilité mentale, mon cher ami... »

Mon cas tirait moins son énormité de l'analyse traumatologique que du défi soutenu, en toute inconscience, par mon organisme. L'assistance, en demi-cercle autour de moi, dressait tout haut l'inventaire du pire, s'étonnant qu'il ne fût arrivé. Je hasardai ma défense :

« A l'hôpital de Munich, on m'assura que je souffrais seulement d'un gros torticolis... »

Un frémissement d'incrédulité courut dans la salle :

« Vous arriveriez de Patagonie, je vous croirais... D'Allemagne, non ! protesta le professeur Orlu. Ils sont trop costauds, là-bas, en médecine et chirurgie, pour se blouser de la sorte. »

Je réclamai ma veste et présentai mes preuves. Leur déchiffrage sidérait autant que celui des radiographies.

« Incroyable ! » répétait le professeur Orlu en effeuillant le dossier maculé par les larmes de la « flabiola » (elle va toujours, j'imagine, comme la Pamina de « La Flûte enchantée de Mozart », s'unir au temple du soleil catalan, à son Tamino, le joueur de « flabiol » de Lloret-de-Mar). Et il lut à voix haute : « Radiographie de la colonne vertébrale : aucune lésion osseuse. »

« Ça paraît impossible ! s'exclama le chœur, devant mon cou squelettique d'alouette rôtie.

— Invraisemblable ! » appuya le radiologue.

Une énormité chassant l'autre, l'erreur médicale éclipsait un temps l'exploit de ma carcasse. Pourtant ma résistance avait différé une condamnation à mort par inadvertance. En me permettant de revenir chez moi, elle assurait mes chances d'une survie que je croyais acquise mais qui se discutait sans cesse, car la mort jouait avec moi comme le chat avec la souris. Abasourdi par une aussi criminelle bévue, le professeur Orlu, radiographie en main, éprouvait le besoin de se persuader, en commentant son diagnostic devant l'entourage attentif :

« Les lésions de la colonne vertébrale sont tout de même évidentes. Nul ne saurait contester leur importance. Il y a, d'abord, subluxation manifeste du corps de la seconde vertèbre sur celui de la troisième. »

L'équation de mon existence tournait autour de deux inconnues, C 2 et C 3 qui, depuis, me sont devenues douloureusement familières.

« On décèle en outre, poursuivait le professeur, une nette fracture à la base de l'épineuse de C 2, ainsi que, du côté droit, une fracture de la lame de cette même vertèbre. Il s'ensuit une inévitable disjonction des surfaces articulaires C 2-C 3. »

Il me dévisagea en hochant la tête :

« Et vous appelez ça un gros torticolis... »

Comme s'il me suspectait encore de débilité mentale.

« Je n'invente rien, professeur. On me l'a dit là-bas. Et, sur l'ordre du médecin, l'infirmière faisait pivoter de force ma tête de droite à gauche et de gauche à droite, pour débloquer mon cou...

— Comment ? tonna le professeur.

— Oui... Rechts, links... Links, rechts...

— Mais c'était un assassinat ! A chaque rotation votre crâne pouvait lui rester dans les mains. Et vous ne disiez rien ?

— Je gueulais, monsieur...

— Et vous ne faisiez rien ? »

On peut tout cracher devant un cénacle de toubibs et d'infirmiers, même mixte.

« Je lui mettais la main aux fesses, monsieur... »

Mon auditoire avait des billes de passe-boules.

« Pardon ? » s'exclama le professeur.

« La main aux fesses... Je n'avais pas d'autre moyen de lui faire lâcher prise, monsieur... »

Après avoir stupéfié la salle de radiographie, l'anecdote la mit en joie. Le professeur Orlu lui rendit promptement son sérieux :

« Ce n'est pas drôle... Ne croyez pas être sorti de l'auberge, mon ami. Aujourd'hui commence, pour vous, le temps de la longue patience. »

Ma grimace l'excita :

« Persuadez-vous, d'abord, que vous ne devriez pas être là... La fracture-luxation dont vous souffrez c'est, très exactement, celle qui entraîne la mort d'un pendu que l'on balance dans le vide, un pendu par précipitation... »

La vision du pendu me transporta. Formidable, extraordinaire, merveilleux ! C'était la clé de cette fameuse chance que l'on me jetait à la figure depuis quatre jours et dont on me bassinait : une simple veine de pendu... Nul n'y avait songé, et pour cause. Car il fallait une expertise médicale sérieuse. Cette révélation inattendue se révélait ainsi plus vraie qu'une veine, toujours discutable, de cocu, et même qu'un miracle de Lourdes authentifié. Je suis enclin, je vous l'ai déjà dit, à me marrer dans les situations les plus tendues. Il suffit alors d'un rien pour faire jouer le déclic d'un rire qui s'entretient lui-même, s'excite sans raison, débride les nerfs, s'emballe et devient fou. Ridicule, bouffon, avec mon crâne branlant, plumé, à demi cousu, comme un croupion de poule farcie, je me mis ainsi à rigoler sur mon trône de radiographie, devant une cour inquiète et ébahie. Mes nerfs avaient même tellement lâché que ce rire agissait comme un narcotique sur la torture qu'il m'infligeait :

« Qu'est-ce qui vous prend ? » demanda le professeur.

A bout de souffle, je parvins à hoqueter :

« Je pense à ma veine de pendu... »

La mine de l'assistance relança mon hilarité. A travers les larmes qui noyaient mon regard, j'apercevais le docteur Torticolis, de Munich.

« Vous voyez bien, cher confrère, qu'on ne tombe jamais impunément sur la tête », confirmait-il, sententieux, au professeur Orlu.

Tout le monde le savait mais mon intermède burlesque

lui valait un satisfecit. Revenu au calme, je me heurtai à un public assez circonspect, et même distant. Le professeur Orlu, mon cadet, prit un ton paternel pour me chapitrer :

« Bénissez votre chance, au lieu d'ironiser sur elle. En semblables circonstances la mort est, sans doute, un moindre mal. Il y a le coma prolongé, le gâtisme, l'idiotie, la paralysie générale, la paraplégie... Or, jusqu'à présent, vous avez échappé à tout cela. Je dis bien, jusqu'à présent... Il est affolant de penser que, depuis quatre jours, au hasard de vos évolutions, vous étiez à la merci du moindre incident, une bousculade, une marche d'escalier manquée, un choc insignifiant, la bourrade amicale d'un copain, un freinage brutal en voiture, un trou d'air, que sais-je encore ?... »

C'est à ce moment précis que, avec les réserves d'usage (comme on dit), je confessai ma coucherie avec Amalia et que le professeur Orlu rameuta tout son monde, en proclamant, pour la médecine comme dans tous les autres domaines, l'omnipotence du cul. En avoir ou pas, simple corollaire de ma veine de pendu. Et tandis que l'on ajustait à mon cou une minerve, appareil de sagesse, certes, mais ainsi baptisé, j'imagine aussi, parce qu'on attend de lui qu'il donne un port de déesse, il expliqua :

« Maintenant, il ne faut pas rater la dernière chance, celle de vous tirer au moindre mal de ce mauvais pas. Car il s'agit bien d'une sale affaire. Elle se règle au demi-millimètre près, peut-être moins, soit le passage concédé à la moelle épinière par la vertèbre brisée qui a ripé. Or une lésion à la moelle, ça ne pardonne pas. »

Il s'accordait une nuit de réflexion pour peser la nécessité d'une intervention chirurgicale des plus délicates. Il me renvoyait donc chez moi en ambulance, et condamné à l'immobilisation la plus sévère :

« Bien à plat sur le dos, la minerve étroitement serrée, sans faux pas ni mouvement brusque... Un choc à la tête peut faire tilt... »

Ma femme intervint, soucieuse d'asseoir son autorité de geôlière :

« Vous ne le connaissez pas, professeur. Avant de lui interdire de bouger, il faut empêcher la terre de tourner. »

Il posa ses mains sur mes épaules et ficha son regard dans le mien, jusqu'au fond :

« Ecoutez-moi bien. Vous venez de frôler la mort. Ce n'est pas une image, mais une réalité. Elle est vraiment passée au ras de vous. Un rien, l'épaisseur d'un ongle... Je vous le répète, votre vie se joue à un demi-millimètre... A vous de choisir... »

On amenait la civière à roulettes de l'ambulance. Je m'y étendis :

« A demain, poursuivit le professeur Orlu. Et n'oubliez pas ce que je viens de vous dire. »

La main droite au-dessus de mon visage, il fit cliqueter les ongles du pouce et de l'auriculaire :

« La mort est passée à ça... Elle demeure sur vous... Votre vie tient donc à ça... »

Ce geste me disait quelque chose. On m'avait déjà signifié ce rendez-vous manqué de justesse. On a toujours rendez-vous avec la mort, mais il arrive rarement qu'il soit fixé d'avance et surtout qu'on puisse, au dernier moment, lui poser un lapin. Ça n'était pas la première fois que la mort me frôlait mais, jusqu'ici, je ne m'en étais pas aperçu. Une impression *a posteriori* plutôt qu'une vraie rencontre. On ne s'était pas dévisagés. Après tout, pourquoi dramatiser ? Elle rôde sans cesse auprès de chacun de nous, la mort, en avion ou en voiture, dans le train ou le métro, à pied ou à vélo, sans compter le cancer, le cœur, les artères et toutes les maladies imaginables, qui tuent tant et si bien qu'en additionnant pourcentages et statistiques nous sommes une humanité de rescapés. Et la faim dans le monde, dont on fait tout un plat, n'est qu'un amuse-gueule devant la boulimie de la mort. On pourrait épiloguer ainsi sur son insigne clémence, puisqu'elle accorde à tout un chacun une certaine part de chance. Mais qui donc m'avait depuis longtemps prévenu qu'elle m'attendait ces jours-ci ? Je me souvenais vaguement, et ne pouvais la maudire, puisqu'elle ne me jouait pas un coup fourré.

L'ambulancière de la Croix-Rouge papillonnait autour de la civière. Sans être effronté, ce brin de fille, à la fois luronne et garçonne, n'avait pas froid aux yeux et ne cachait pas grand-chose. Elle portait, pour la forme, un béret de goguette, accroché comme un confetti à un épi de cheveux et un mini-uniforme de majorette par quoi elle s'autorisait à mener son monde à la baguette. Rien n'échappe quand on s'installe dans son rôle de patient et que l'on vous trimballe, à la fois inquiet et impuissant. Un incident marqua mon embarquement, lorsque la main leste d'un infirmier profita de la manœuvre pour s'égarer sous une jupe mieux taillée, à vrai dire, pour la provocation que pour la chasteté. La luronne rua : naïve, elle déclara ne pas aimer qu'on la prenne par-derrière. Broutille, dira-t-on, mais ce pelotage furtif faillit me coûter le soupçon de vie qui m'était concédé pour la relance de mon existence.

Vide ou occupée, une ambulance ne peut être que pressée. Elle doit toujours donner l'impression d'aller plus vite que la mort. Et le chant des sirènes la guide parmi les écueils. Bien qu'il n'y eût aucune urgence à me ramener chez moi, la mienne ne faillissait pas à la règle. La longue avenue toute droite dévalant de l'hôpital débouchait sur une place enjambée par un auto-pont métallique, aussi accentué qu'un sourcil de Pierrot. L'ambulancière l'attaqua à pleine allure avec un culot de cascadeur. Je crus que l'I.D. décollait. La porte de queue, mal accrochée, s'ouvrit et se déploya comme une élytre de hanneton. Je me trouvai soudain adossé au vide et, dans la montée assez raide, ma civière à roulettes recula. A demi éjecté, j'écartai les bras et m'accrochai comme je pus aux rebords de la carrosserie. Des freins gémissaient derrière moi, tandis que se levait simultanément un chambard d'avertisseurs. Je me retenais à grand-peine, les mains crispées sur la tôle sans arête. Les voitures qui suivaient prenaient leurs distances pour ne pas m'écraser quand l'ambulance me pondrait. Je regardais désespérément le ciel et me demandais ce que j'avais pu lui faire. « Concorde » le traversa tout bas, qui regagnait son nid voisin. Il descendait au ralenti, cabré, et l'on aurait dit, avec son bec penché et ses pattes baissées, une cigogne sur le point de se poser. J'ai tout bêtement pensé, je me souviens, qu'une cigogne porte bonheur. Mais la garçonne fonçait. Je filais ainsi, sur le dos, entre les glissières d'un toboggan, comme si j'étais le passager d'un bobsleigh. J'allais renoncer à endurer cette crucifixion lorsque l'on replongea. La portière se rabattit lourdement sur ma tête et mes doigts, et me remit en boîte. La civière vint buter dans le dos de l'ambulancière mais je dus forcer la voix pour la distraire de son rallye.

« Vous avez failli me perdre, mademoiselle.

— Ça ne va pas ?

— Ça va mieux, mais la portière n'est pas fermée...

— Ah ! merde ! » lâcha-t-elle dans le rétroviseur.

Elle stoppa et les automobilistes témoins de mon apparition la huèrent au passage :

« On dirait qu'ils n'ont jamais rien vu ! » bougonna-t-elle.

Elle m'enjambait sans gêne pour assurer mes attaches. Je lui dis que je m'étais rattrapé de justesse. Elle répondit, désinvolte, que ce n'était donc pas mon heure.

« Le professeur Orlu m'avait recommandé d'éviter tout mouvement brusque ainsi que le moindre choc sur le crâne...

— Bof... Avec les toubibs, il faut en prendre et en laisser... Vous n'allez pas faire une histoire parce que vous avez pris un peu l'air. »

Son souci de minimiser l'incident frisait l'impertinence.

« Il n'empêche que vous auriez fait une drôle de tête si vous aviez dû me ramasser sur la route. »

Sa réponse me désarma :

« Ce n'était pas ma faute, mais plutôt la vôtre... Celle des hommes, avec leur sale manie de toujours balancer les paluches, même en plein boulot.

— Vous n'appréciez pas ?

— Ça me regarde. »

Elle éclata de rire :

« J'aurais bien aimé, tout de même, voir la trombine des gars de derrière quand je vous ai largué...

— Et pas la mienne ? »

Elle reprit son volant avec allégresse.

« Vous avez du pot... dit-elle en démarrant.

— Vous aussi.

— Pourquoi moi ?

— Parce que, finalement, tout s'est bien passé.

— Ça fait partie des choses de la vie... »

Et elle me conta la mésaventure survenue à l'une de ses collègues :

« Elle, elle a semé un macchabée... Il n'a pas pu s'accrocher aux branches, lui. C'était un malade qui venait de clamser dans une clinique. Pour éviter des complications administratives et des frais, il fallait le ramener dare-dare à sa famille, officiellement encore vivant. Voila-t-il pas que les gendarmes traînaient dans les parages quand ma copine l'a paumé... Même qu'il avait roulé dans le fossé. Il fallut donc faire constater le décès sur la route. Et si le défunt s'était tué dans la chute ? objectèrent les pandores. Pourquoi aussi n'aurait-il pas ouvert par inadvertance la portière ? Vous imaginez le sac de nœuds... On démontra, bien sûr, que le pauvre type, parti vivant de la clinique, avait succombé en cours de transport. En conséquence, puisqu'il ne pouvait s'en aller seul, il y avait faute de ma copine. Chez nous, comme partout, ce sont les lampistes qui trinquent. Bref, ce macchabée que l'on devait escamoter sur une cinquantaine de kilomètres, tout le monde en a parlé, les journaux, la radio, la T.V. Je me souviens d'un titre sur un canard : “ Le mort saute de l'ambulance et prend la clé des champs. ” Ils poussent un peu loin, parfois, les journalistes... »

Je me devais d'y aller de ma petite histoire, puisque j'en possédais une en réserve, aussi vécue que la sienne, si je puis dire, et qui s'appliquait à la situation :

« Un jour, sur la vitre arrière d'un fourgon des pompes funèbres en fonction, j'ai lu, entre deux couronnes de regrets éternels, cette suave inscription : Issue de secours. »

Elle s'esclaffa en tapant des deux mains sur son volant :

« Il y a des trucs qui ne s'inventent pas dans la vie ! »

Autrement dit, en l'occurrence, la réalité dépassait l'éviction. Et s'est en chahutant ainsi avec la mort que je suis rentré chez moi...

Elle m'y attendait, la tzigane. Je ne l'avais pas revue depuis vingt-cinq ans et m'en voulais de cette négligence proche de l'ingratitude, s'il est toujours vrai qu'un homme averti en vaut deux. Certes, ça n'aurait rien changé au cours des choses, sinon de le rendre, pour moi, plus fluide, plus serein... Mais son exactitude était une sanction, à tous points de vue, celle de mon oubli, et celle de sa prédiction, puisqu'elle venait d'être ratifiée par un homme de science éminent. Après vingt-cinq ans d'attente, elle se présentait donc la première, au pied de mon lit, et méritait cette priorité. Elle me tendait sa main, que je voyais sèche comme une patte de cigogne baguée, et faisait cliqueter ses griffes du pouce et de l'auriculaire :

« Presque rien... Un demi-millimètre, un quart peut-être... Pas plus épais que ça... » disait-elle d'une voix enfumée.

Sans le savoir, le professeur Orlu avait copié le geste, la gravité du ton, le regard sombre et profond.

« ... Aux alentours de la cinquantaine... Fais gaffe... » avait-elle précisé.

Et cette cinquantaine inopinée, elle me la faisait soudain toucher du doigt dans la quiète solitude de ma chambre, enfin retrouvée après des semaines et des semaines d'éloignement. Je venais de me colleter avec ma minerve. Elle m'était déjà insupportable. Mais il fallait bien que je négocie avec elle un *modus vivendi*. Et j'entreprenais d'apprivoiser la nuit. C'est plus difficile, quand on veille, d'apprivoiser une nuit qu'une fille. Une fille se donne ou se refuse, mais on sait à peu près où l'on va. Une nuit se dérobe sans cesse et n'en finit pas. Une fille triche, ment, bêtifie, ravit, embobeline, ensorcelle, de toute façon soutient un jeu. Une nuit d'insomnie, surtout pour un captif, entretient un vide hallucinant, fourre-tout de cafard, de hantises et de fantasmes, qui vous aspire dans les abîmes de l'abdication. Mes nuits d'hôpital à Munich, et celle du « Hilton » à Orly, m'avaient déjà éprouvé. Dans la cage complice de ma chambre, je me sentais donc en position de force pour apprivoiser cette première nuit de mon retour et me rendre pleinement responsable de tout ce qu'elle m'apporterait.

La cinquantaine avait fait alors irruption sans prévenir, impressionnante dans sa rigueur mathématique. A l'école comme dans la vie, je n'avais jamais su compter. Et elle m'apparaissait aussi déconcertante que la solution d'un problème enfantin, ou la révélation de la fauche à la moitié du mois. Elle survenait, fracassante comme mon accident, pour me reprocher de n'avoir pas vu passer vingt-cinq années. Je me sentais pourtant plus gaillard que jamais, car j'avais conscience de me tenir bien debout. Et mon émerveillement de vivre s'amusait, après en avoir souffert, des vilenies de l'existence. Ni sévère ni pessimiste, je savais, à présent, qu'avec l'inflation constante des égoïsmes l'humanité retournait à ses origines. Sur dix individus, six rampent ou nagent, trois marchent encore à quatre pattes, un seul défend honorablement sa dignité de bimane et de bipède. Il joue les trouble-fête, car il jette volontiers des pavés dans le grouillement du marais et se satisfait de son donquichottisme gratuit qui, sans milieu, en fait tantôt un caïd, tantôt un cocu... Et de toute manière condamné, comme minoritaire, à être tôt ou tard battu selon les sacro-saints principes d'une démocratie bien mal foutue.

J'éprouvais donc de l'allégresse à essuyer mes chaussures culottées de vagabond et, dans un strict respect de la voie hiérarchique, de le faire aux paillassons de tous les échelons. On se régale d'autant mieux qu'ils sont de plus en plus épais et moelleux à mesure que l'on approche du Bon Dieu. Je faisais ainsi de la cinquantaine sans le savoir car je crois qu'elle est, pour ceux à qui ça chante encore, l'époque des dernières rébellions, les plus solides et les plus nobles, celles que l'on mène à bien avec l'arsenal de l'expérience. Bref, toujours au baroud, entre les engagements de commando à l'avant, sur tous les fronts de l'information, et les chausse-trapes multipliées à l'arrière par des lavettes expertes en vacheries, j'avais omis de pointer mon demi-siècle d'existence. Peut-être parce que le temps du mépris entraîne l'oubli du temps. Mais voilà que, ma cinquantaine dans sa main, à la fois témoin du passé, caution de l'avenir et juge du présent, elle me réintégrait dans mon époque en me mettant dans mon lit. Tout revenait et c'était doux et bon, car elle m'avait dit aussi :

« Un demi-millimètre, un quart peut-être... Mais tu passeras... »

C'était à l'automne de 1947. Je venais de corriger les épreuves d'un reportage, afin d'éviter au lecteur de rectifier de lui-même, selon la formule consacrée, fautes et coquilles. Dans une brasserie voisine du journal, « Le Rialto », j'attendais la tombée des premières éditions de nuit. Leur entrée suspendit le brouhaha de la salle. Je crois que, seul, je pouvais connaître leur identité. Il allait devant, imposant, la démarche presque majestueuse et ses bottes ferrées crissaient sur les mosaïques. Il portait un costume de velours côtelé marron à gros boutons de métal et une épaisse torsade de fils d'or courait d'une poche à l'autre, en travers de son gilet. Son feutre noir à larges bords était baissé sur le côté, à la mode mousquetaire. Sa main droite tenait un gourdin noueux à pommeau d'argent, rattaché au poignet par une lanière de cuir à pompon rouge. Enchâssé dans une olive d'or, un diamant lançait des bluettes à son petit doigt. Il avait un regard brûlé que le néon rendait incandescent et un visage boucané par le grand air, le soleil, le caporal et le feu de bois. Sous son nez un peu fort et busqué foisonnait une moustache crépue, filigranée d'argent, qui courait se perdre, comme de l'herbe folle, dans le fouillis des favoris. C'était un seigneur du vent, tzigane authentique, nanti des attributs de son autorité, sans doute un descendant du Caliban de Shakespeare, puisqu'en romani, la langue nomade des premiers âges tombée du toit du monde, « kaliben » signifie noirceur, celle de la peau et non la noirceur de l'âme.

Collait à lui, dans son sillage immédiat, un personnage baudelairien, le cheveu crêpelé d'un noir insultant, la peau de mulâtresse virant à l'acajou et un visage où s'incrustait, jusque dans les rides, l'envoûtante beauté de la bohémienne de légende. Elle promenait sur la brasserie un regard à la fois méfiant et hautain, sûre de l'attrait de sa prunelle. Elle était vêtue des longs oripeaux classiques de sa race, où se mariaient, encore nettes, presque vives, les sept couleurs du prisme. Le « diklo » des épouses, un foulard arc-en-ciel négligemment noué sur son oreille gauche, la coiffait à demi. Elle avait le port noble et nonchalant des femmes bibliques, accentué par les oscillations de sa robe. Chaussée d'espadrilles rouges, elle avançait sans bruit et l'on entendait le frou-frou de ses jupons, sept, sans doute, selon le rituel, qui bouillonnaient sur ses talons. Elle devait conserver sur elle, d'après l'antique tradition nomade, le trésor familial. Grenats et rubis ruisselaient à ses oreilles comme des grappillons de groseille. Elle portait en sautoir, et à la ceinture, une fortune de sequins : dollars et louis d'or. Des gourmettes et semaines à breloques surchargeaient ses poignets, et des bracelets montaient à l'assaut de ses bras jusqu'aux coudes. Je ne sais combien il y avait de marquises, joncs, solitaires et autres bagues à ses doigts. Venait enfin, dans un égal déploiement de couleurs, mais avec un papillotement de clinquant, une adolescente. Un excès de fard gâtait son visage et une barrette de pacotille disciplinait mal une crinière de pouliche sauvage. Elle piquait le sol de talons aiguilles un peu émoussés. Par leur allure, ses parents l'éclipsaient.

Ils s'étaient installés à l'écart, sur un petit guéridon et sirotaient leur thé, le sucre dans la bouche. Mon approche avait été assez délicate et même laborieuse. Le souvenir de quelques mots de romani m'aida à justifier une lointaine ascendance gitane. Un hommage aux cinq cent mille tziganes exterminés par les nazis m'ouvrit l'accès au guéridon. Et je pus m'attabler, en confessant mon ignorance de « gadjo », de cul-terreux, sur la prodigieuse migration d'un peuple dont la dispersion, à travers les continents, est aussi troublante que la diaspora juive.

« Ce n'est pas tous les jours, dis-je, que l'on a la chance de rencontrer un chef. »

Il semblait indifférent à mes propos, le regard perdu dans les volutes de fumée d'un cigare pincé entre ses lèvres épaisses.

« Comment sais-tu que je suis un chef ? » marmonna-t-il.

Je montrai le gourdin à pommeau d'argent octogonal où étaient ciselés les cinq emblèmes du pouvoir, la hache de combat, le soleil, la lune à son premier quartier, l'étoile aux seize rayons et la croix.

« Nous sommes de véritables tziganes, des Kalderas », dit sa femme.

J'étais assis entre elle et la fille, face au chef. La narine pincée, la bouche amère, l'œil parfois cruel, elle évoqua longuement les misères infligées à sa race au cours des siècles. Il se bornait à ponctuer les principaux moments du récit d'un « chapité » — c'est la vérité — monotone. La fille se levait de temps en temps pour servir le thé et faisait le tour du guéridon afin de toujours passer derrière les hommes. Lorsqu'elle se penchait, sa poitrine sans soutien-gorge roulait dans la large échancrure du corsage. Le sein, symbole de la maternité, et toujours accessible aux enfants, n'offre, pour les tziganes, aucun attrait sexuel.

« Pourquoi donc les hommes se sont-ils acharnés à transformer en tragédie notre heureuse destinée erratique ? » conclut la mère.

« J'ai entendu parler d'une malédiction originelle, celle frappant en vous les fils de Caïn ou les forgerons des clous du Christ.

— C'est faux ! tonna le chef. Nous marchions, bien avant déjà, vers le soleil couchant. Nous voulions sans cesse gagner du temps sur la durée du jour, c'est-à-dire sur la nuit de la mort... »

Les femmes aspiraient le thé avec des petits glouglous de gorge. Nous accumulions aussi les canettes de bière. Il reprit son plaidoyer :

« Oui, nos ancêtres descendirent du plateau du Pamir, des sources du Gange et de l'Himalaya, l'enclume et le soufflet au dos. Oui, ils initièrent tous les peuples, sur leur passage, au travail des métaux même les plus précieux. Mais rien n'autorise à prétendre qu'un tzigane forgea les clous de la Croix. On colporte cette calomnie mais on ne dit pas que Balthazar, qui se dirigea le premier vers " ô Tchalaï ", l'étoile des Rois Mages, était de chez nous. »

La fille s'appelait Orka... Je louai son teint de pain brûlé, frais, appétissant qui, dans la chaleur de la soirée, avait perdu son fard et retrouvait son luisant. Elle était Orka-la-Kali, la noire, sœur de Sara, patronne des Gitans.

« Un proverbe romani assure que, plus une cerise est noire, meilleure elle est », dit la mère.

D'une chose à l'autre, d'Homère qui mêle de singuliers nomades aux colères de Zeus, aux « Rhapsodies » de Liszt et aux « Danses » de Brahms — « qui révèlent le mieux notre âme », assurait le chef —, nous étions revenus au génocide du peuple du vent. Il se pencha vers moi et assourdit sa voix :

« Ma femme tire son origine de la tribu des Adler, dont le nom signifie “ Aigle ” en allemand. Sa grand-mère jouissait d'une réputation de voyante exceptionnelle. Il ne faut pas oublier que nous avons introduit les tarots en Occident. Et les femmes, chez nous, sont douées d'une sensibilité particulière qui leur permet de lire l'indéchiffrable, notamment dans les mains. Mais cet art, elles ne l'exploitent qu'en dehors de notre race. Nous, nous connaissons depuis toujours notre destinée... »

Il sourit lorsque je notai que la bonne « ferté », la bonne aventure, n'était qu'une technique d'exportation.

« ... Tu n'ignores pas que Hitler, féru de sciences occultes, vivait entouré d'astrologues, mages, spirites et autres devins. Peu après son arrivée au pouvoir, informé du renom de la grand-mère, il la fit venir à Munich et la somma de lui prédire l'avenir. Elle lui annonça qu'il dominerait rapidement le monde, mais lui dit aussi que la brutalité de sa chute serait à la mesure de sa fulgurante ascension. Et elle lui raconta le destin apocalyptique qu'il préparait à l'Allemagne. Hitler se laissa aller à une crise de colère. Il fit appréhender sur-le-champ la grand-mère de ma femme, puis on arrêta sa famille, enfin la tribu des Adler tout entière. C'était le prélude à l'internement de tous les tziganes, considérés comme impurs. On les stérilisa, on les tortura. Ils devinrent les premiers cobayes des expériences médicales et scientifiques perpétrées dans les camps de la mort lente. A la veille du désastre nazi, on les extermina dans les chambres à gaz et les fours crématoires... »

Il tira de la poche intérieure de sa veste un gros portefeuille de chagrin noir bourré de documents, tria un lot de photographies et me montra son sosie :

« Mon frère jumeau, Yerko. Mort à Auschwitz. Là-bas, le commandant du camp s'acharnait sur les tziganes, sous prétexte qu'enfant il avait failli être enlevé par eux. »

Les femmes se signèrent. Je crus que la fille marmottait une prière. Et j'entendis le quatrain magique de Lanza del Vasto par lequel résistent les opprimés, se sacrifient les martyrs, s'attise la liberté :

« J'ai ma maison dans le vent sans mémoire,
« J'ai mon savoir dans les livres du vent,
« Comme la mer, j'ai dans le vent ma gloire,
« Comme le vent j'ai ma fin dans le vent. »

Nous étions étrangers à la salle, prisonniers d'une solennité d'office. Le père rangeait une à une ses reliques, avec, pour certaines, un baiser furtif. La mère avait pris mes mains sur ses genoux et les ouvrait toutes grandes. Ses doigts surchargés couraient sur elles comme des scarabées d'or à tête chercheuse. Ses yeux largement fendus jetaient par moments des éclats magnétiques. Elle regarda son mari comme pour lui offrir la primeur d'un message. Il vida une canette. La mousse de bière givrait sa moustache. Puis, à mi-voix, pour ne pas troubler le sortilège, il commenta :

« Pour nous, les doigts ont, chacun, leur personnalité. Le pouce détient la plus forte puisqu'il peut s'opposer seul aux quatre autres. L'index porte la responsabilité des décisions, avec ce qu'elles impliquent de bonheur. On attribue au majeur un rôle fatidique, tandis que l'annulaire prouve la santé, physique et morale. L'auriculaire, lui, incarne la fantaisie. On l'appelle la pie. Et ceux qui ne nous aiment pas en font le doigt chapardeur. »

Elle avait délaissé ma main droite et se concentra sur la gauche. Elle fit jouer le pouce pour mieux examiner « la selle du diable ». Puis elle s'attacha au dessin de la paume. Tantôt elle en accentuait le tracé au fil de l'ongle, tantôt elle semblait le gommer au frottement des doigts. Elle tendait et refermait ma main pour une analyse comparée de la griffe, qui l'intriguait, un M en bascule sur un Y. Apparemment, il y avait une anomalie dans cette composition stylisée. Enfin, après une dernière manipulation du pouce et l'effleurement presque imperceptible de la paume, elle enferma mes mains dans les siennes. Ses paupières bistres mi-closes, elle annonça, comme si elle déchiffrait un message câblé par bribes d'un monde lointain :

« Aux alentours de la cinquantaine, fais gaffe... Tu auras un coup dur... Très dur... Pas une maladie... Plutôt un accident... Je vois aussi une guerre... Mais ce n'est pas là... Grave... Très grave... Aux alentours de la cinquantaine... La mort te touchera... Oui... Elle te touchera... un accident... Elle te touchera, mais elle ne te prendra pas... Elle ne te prendra pas et tu passeras... D'extrême justesse... D'un rien... Un demi-millimètre, un quart peut-être... Pas plus épais que ça... »

Elle fit cliqueter les ongles du pouce et de la pie, qu'elle avait tous deux très longs.

« ... Tu souffriras beaucoup... Tu souffriras longtemps... Mais tu passeras... A ça... »

Elle jouait à nouveau avec ses griffes.

« ... Aux alentours de la cinquantaine... Souviens-toi... Mais tu repartiras... Ta vie, à toi aussi, est sur la route... »

Elle ouvrit ses mains couleur de tabac brun pour laisser

s'envoler les miennes et, comme délivrée d'une souffrance, leva sur moi un regard chaleureux souligné d'un sourire doré :

« La cinquantaine ? dis-je. Je viens à peine de prendre le virage de la mi-chemin. J'ai donc un quart de siècle devant moi...

— Je ne te demande pas de me croire, mais souviens-toi... »

Le chef, à son tour, insista :

« Mes vingt-cinq ans datent d'hier. »

Je ne compris pas alors que ma cinquantaine était pour demain et plaisantai :

« Ne me fichez pas déjà le trac.

— Ce mot vient de notre langue, remarqua-t-il. Trach signifie peur. »

Il se leva. L'aube commençait à décrasser le ciel. Ça m'ennuyait de les voir partir. J'avais le sentiment de rester à quai tandis qu'ils appareillaient. Ils sortirent comme ils étaient entrés, lui devant, et je fermais la marche. Sous l'éclairage multicolore du seuil, qui nous bariolait, ils ressemblaient à des personnages de jeux de cartes. Le chef leva son sceptre en signe de salutation. J'émis le souhait de prochaines rencontres.

« Fatalement, tu penseras un jour à nous », assura la mère.

Elle me lança un « ciao » à l'italienne. Je lui rendis un « tchao » à notre manière.

« On nous a pris aussi ce salut, dit la fille. Et tu ne sais pas ce qu'il signifie.

— Adieu !

— Non... Tout simplement, va !... C'est une bénédiction... *Ciao !* »

Elle bombait sa gorge de tourterelle, la main levée,

comme dans une de ces danses tziganes presque immobiles, où passe seulement le frisson d'une extase qui ne se traduit pas. Puis, d'un vol léger et froufroutant, elle rejoignit ses parents. Je n'ai connu que plus tard le mot de Jean Cocteau : un gitan peut être plus ou moins génial, mais jamais médiocre.

Elle s'était donc présentée la première au pied de mon lit, ma devineresse. Elle ne venait pas triompher, mais me rassurer, puisqu'elle cautionnait mes lendemains. « Un demi-millimètre... Un quart peut-être... Pas plus épais que ça... Mais tu passeras... » Elle avait choisi, pour dire son verdict — comme le professeur Orlu pour son diagnostic imagé —, la confrontation du pouce et de la pie, la puissance et la fantaisie, l'une faisant la nique à l'autre Le chapardage de mon sursis, c'était un défi à la fatalité balourde et aussi à la froide rigueur de la science. Pour la première fois, ma mémoire d'avant passait le relais, sans cafouiller, à la nouvelle. Les données du passé se vérifiaient : la mort m'avait bien frôlé, même touché. Celles du présent aussi : tout se jouait sur l'épaisseur d'un ongle et la médecine recoupait point par point la chiromancie. Elles s'accordaient encore sur le temps de la longue patience. Restait l'avenir. L'une réservait son pronostic, l'autre savait, depuis un quart de siècle, que je reprendrais la route. Pourquoi la tzigane, petite fille de la lucide voyante de Hitler, se tromperait-elle à mon sujet, cet art prophétique appartenant aux femmes ? Elle n'avait pas situé le lieu de l'accident qu'elle voyait, mais l'événement confirmait une étrange hypothèque, celle que Munich faisait peser sur ma vie. Et la voilà qui s'était discutée, à une portion de millimètre près, sur le tumulus de l'*Oberwiesenfeld*, symbole des malheurs prédits au Führer par la mémé Adler. La coïncidence apparaissait insolente.

L'Histoire, en effet, peut disputer sur les accords de Munich — la guerre, à l'époque, en découla et le cours de mon existence s'en trouva changé. Ma vocation de professeur contrariée, je sautai sur le palliatif de l'aventure. Et je m'aperçus que la destinée est faite de préjugés contestés, de malentendus, comme disait Dolorès. Si j'étais entré dans l'enseignement, je n'aurais jamais traversé l'esplanade du Stade Olympique de Munich, le 10 septembre 1972 à dix-neuf heures quarante-neuf. Nous nous serions donc manqués, la « Mercedes » et moi, ce qui m'eût privé du privilège de recommencer ma vie. Pourtant je me trouverais quelque part, meurtri et gisant, puisque, de toute façon, c'était écrit — « *atiar sina libanao* », disent les gitans —, mais ignorant de mon sursis. Car je n'aurais pas rencontré auparavant les trois Kalderas ni connu le message secret de ma main.

Le brassage de ces pensées occupa une partie de ma nuit. A présent que je les ressasse, je me dis que tout est bien ainsi, malgré mon crâne gondolé, mon cou rétif et ma main droite à demi paralysée. Je serais mal venu, en effet, de me lamenter. Sans la complicité de Munich, je n'aurais pas connu une vie aussi jouisseuse et je ne pourrais vous présenter aujourd'hui cette vision revue des choses de la vie, corrigée par une bouleversante prédiction. Intimement mêlée à ce débat, la tzigane me tint compagnie jusqu'aux approches du matin. Amalia l'Indienne vint de temps à autre la rejoindre. Les deux « nomades au teint pourpre » semblaient de connivence. Malgré la différence d'âge, leur relation dans mon aventure était si évidente qu'elle accréditait la thèse de cette race commune, séparée jadis par l'effondrement de l'Atlantide.

La Kaldera nous dominait de toute sa majesté de « phuri daï », de souveraine, et l'Inca, usant du « calo », le dialecte des gitans espagnols, confessait que je n'avais pas été son « gacho », son amant.

« Qu'importe ce que l'on fait, quand il s'agit de passer le cap, dit la tzigane. Et les défis de la mort ne se relèvent qu'avec la " chunga ", l'ironie... »

Le clapotis du jour naissant venait battre mes fenêtres, porteur des pulsations de la vie relancée. Je prenais le pouls de mon quartier et cette réanimation me faisait revivre avec délices. J'entendais baller au loin les poubelles, dans les rues sonores de la vieille ville puis, tout près, le cliquetis métallique des casiers du laitier. Le vendeur de journaux amorçait son cantabile au fond de la place et sa voix caverneuse enflait jusqu'au carrefour; il s'y ancrait pour exhaler son refrain jusqu'à midi, du ton las d'un batelier de la Volga. L'épicier repliait ses volets de bois sur le même rythme de claquettes, et le rideau en accordéon du bar faisait toujours grincer les dents. Le garçon pâtissier s'en allait livrer ses croissants ; je reconnaissais le timbre de clarine de son triporteur. Le procès des chiens mal élevés n'était pas encore clos, puisque ma concierge et l'épicière le poursuivaient sur le trottoir, avec leur classique duo du balai. Et tout se fondait bientôt dans le hourvari du réveil général. Rien n'avait donc changé pendant ma longue absence, de Hanoï à Pékin, de Pékin à Moscou, de Moscou au Tour de France puis aux Jeux Olympiques. J'avais vu beaucoup de monde en six mois, Pham Van Dong et Giap, Chou Enlaï, Brejnev et Nixon, Luis Ocana, les plus grands athlètes du moment, un commando en action de terroristes palestiniens et aussi Brandt avec Pompidou. Après cette bourlingue mal terminée, l'émoi d'enregistrer les pulsations de ma rue allait profond en moi ; il me semblait que mon tête-à-tête avec la mort n'avait été qu'un sinistre interlude. Et lorsqu'on ouvrit les volets de ma chambre, la délégation accréditée des pigeons descendit aussitôt, en un vol huilé, sur la balustrade du balcon. Ils s'étaient eux-mêmes triés six, à coups de bec et grandes claques d'aile, pour le partage du maïs et du pain dans leur écuelle. Ils avaient si bien mis au point leur pavane orchestrée de roucoulades qu'on eût dit, sans leur distribution de colombine, des oiseaux mécaniques.

Le professeur Orlu vint tôt me voir, alors que ma femme finissait à peine ma toilette. Je lui dis ma nuit blanche mais calme et que, si je m'habituais mal à la minerve, j'avais en revanche moins mal. Assis sur le lit, il buvait le café à petites gorgées, le regard dans la tasse, comme s'il y lisait sa décision. Elle était à la fois rassurante et rigoureuse :

« Puisque, depuis cinq jours, votre organisme a tenu bon, ce qui échappe, je l'avoue, à l'entendement, pourquoi ne pas lui faire encore crédit ? J'ai toujours préféré, quand il y a le choix, les réactions de la nature humaine à la technique du bistouri. J'écarte donc l'opération, sous réserve, évidemment, de l'évolution de votre état. Pourtant, afin de rétablir au mieux l'équilibre de votre colonne cervicale et de la consolider, je vous inflige le port d'une minerve draconienne qui, mieux assise sur votre buste, bloquera la tête sous l'occiput et le menton. Un carcan new-look... Je mise sur votre volonté et votre sérieux. Le pari de votre rétablissement, nous ne pouvons le soutenir qu'ensemble, à parts égales. D'accord ? Topez là !... »

Nos mains claquèrent. Il se leva :

« Vous avez tout de même un drôle de coffre !

— J'ai toujours pensé que c'était le premier atout d'un reporter. En toutes circonstances, il doit pouvoir aller jusqu'au bout.

— Eh bien, vous y êtes, au bout...

— Je suis persuadé, en outre, qu'on écrit comme on respire. Vous ne croyez pas que la vie se raconte comme elle se respire ? La plume, c'est une question de souffle. Un proverbe kurde dit " Le monde est une rose. Cueille-la, respire-la et donne-la à ton ami. " Pas beau, ça, professeur ?

— Si... L'ennui, c'est que trop de gens se complaisent à renifler autre chose que la rose.

— Ne me faites pas rire... Ça me travaille la nuque...

— Donc, ne jamais oublier que votre sort...

— ... tient à ça ! »

L'épaisseur d'un ongle, entre le pouce et le petit doigt. Le professeur Orlu m'invita à ne pas le railler. Je lui rapportai brièvement la prédiction de la tzigane. Il l'accepta sans sourciller. Puisqu'en lui-même, et par les péripéties qui l'entourèrent, mon cas me situait en marge des règles logiques de la médecine et de la raison, pourquoi ne pas délibérément le considérer comme étrange ?

« Sans doute étiez-vous aussi, professeur, il y a vingt-cinq ans, dans la vision de la tzigane.

— Je terminais à peine mon internat de médecine.

— Hier soir, comme on me transportait à l'ambulance, quelqu'un m'a confié : " Estimez-vous heureux que le professeur Orlu ne soit pas encore parti à la chasse à l'isard. " J'en suis intimement persuadé, mais je voulus connaître les raisons de ce jugement. “ Je n'ai rien à ajouter, me dit-on. Je prends simplement les paris sur votre tête. Vous la récupérerez. ” Je pense donc, professeur, que vous vous trouvez inclus dans ma veine de pendu. »

Il se refusa à tout commentaire sinon pour souligner que ma tête demeurait suspendue au respect de la discipline la plus stricte :

« Car, s'il est écrit dans votre main que vous passerez le cap — et je ne demande qu'à le croire — moi je sais aussi, médicalement, ce qui peut ne pas passer : votre moelle épinière, dans le chas que lui ont laissé vos vertèbres brisées et déplacées. Donc, jusqu'à nouvel ordre, immobilisation... Je dis bien im-mo-bi-li-sa-tion... »

Sur le point de quitter la chambre, il fit demi-tour, préoccupé, et revint à mon chevet :

« Il y a trois nuits, soit le surlendemain de l'accident, vous couchiez vraiment avec une fille ? demanda-t-il à mi-voix.

— Oui... J'ai même pensé, auparavant, que vous m'aviez expliqué un jour quelque chose sur les phénomènes de priapisme et d'impuissance provoqués par des lésions à la colonne vertébrale.

— Vous avez donc voulu vous tester ?

— Pas précisément puisque je ne souffrais, à ma connaissance, que d'un gros torticolis. J'ai fui mon hôpital cellulaire comme on sort de tôle ou l'on quitte l'armée. Quand on fête la quille, on va inévitablement au bordel... L'instinct du mâle en liberté qui songe d'abord à s'affirmer en traquant la femelle... Mais, pour moi, ce n'était même pas ça. J'ai fiché la paix à la fille. Sa présence me suffisait. Elle m'aidait à endurer mon mal. Sa délicatesse, qui n'a jamais trahi la pitié, m'a gardé une dignité élémentaire. Car lorsqu'on se sent minable, tout a tendance à craquer.

— Avez-vous fait l'amour ? Médicalement, ça m'intéresse...

— Je ne sais pas... Je ne crois pas...

— Vous souffriez trop, ou vous ne pouviez pas ?

— Tout peut expliquer ma passivité. Mais imaginez-vous Quasimodo faisant l'amour avec Esméralda ?

— N'exagérons pas... Et Esméralda, a-t-elle fait l'amour avec Quasimodo ?

— Elle s'est débrouillée comme elle a pu.

— Sacré phénomène ! » s'écria le professeur Orlu en me quittant.

Mais, sur la porte, il lança un nouvel interdit :

« A présent, vous baiserez quand je vous donnerai l'autorisation... Pas avant... Parce que — la tzigane ne vous l'avait pas précisé — ça se joue aussi à ça... »

Comme l'envie ne me chatouillait pas, rien ne semblait devoir entraver ma consolidation. Très technique, le terme implique d'abord la démolition, puis une certaine remise en place, plus proche du rafistolage que de la guérison. La nature y joue un rôle aussi important que la science. Or, selon le professeur Orlu, j'étais « une nature ». Bien que brûlée par tous ses bouts, aux hasards des campements nomades, la chandelle étonnait encore par sa flamme. Et qui donc, au physique ou au moral, n'est pas un rafistolé plus ou moins bien consolidé ? Il apparaît, de nos jours, que l'ancien, même réparé, tient encore le coup mieux que le neuf. J'accumulai ainsi, au long de la matinée, tous les arguments possibles pour asseoir ma résignation du présent sur la certitude des lendemains et me préparer à postuler au palmarès des chefs-d'œuvre en péril restaurés. Cette minerve de métal léger, qui haussait mon cou, enchâssait ma tête et prenait mes épaules, je l'ajustai, l'après-midi, sur ma poitrine, comme un chevalier le corset de son premier tournoi.

Hélas ! je ne devais pas longtemps rompre des lances contre l'adversité. Elle me désarçonna dès la fin des programmes de télévision, lorsque je me retrouvai seul avec moi-même dans le noir, après une journée que je n'avais pas vue passer, occupé que j'étais par l'accoutumance à ma servitude et détourné d'elle par les premières visites d'amis. Les bruyantes divagations des noctambules courant les boîtes de nuit du quartier déclenchèrent mon cafard. Aucune nostalgie de bringue ne le motivait, puisque ma claustrophobie m'interdisait les cabarets. Mais sans doute cette turbulence me fit-elle prendre conscience de ma séquestration. Et lorsque l'un de ces noceurs, perché au voisinage, se mit à boubouler, son ululement répété, qui ranimait les superstitions de mon enfance rurale, prit la résonance d'un glas. Il s'obstinait, comme seuls la nuit savent le faire hiboux, chouettes, hulottes et chats-huants. Il éveilla fatalemnt un écho. Puis un autre. C'était l'enterrement de première classe. Comme au soir de mon accident j'attendis l'arrivée de la mort : je vivais désormais en bons termes avec elle puisque, la veille encore, dans l'ambulance, je badinais en sa compagnie. Mille détails négligés l'annonçaient : l'entretien discret de ma femme et du professeur Orlu dans le vestibule, le cri de maman effondrée — « Je suis contente de l'avoir quand même revu vivant » — des chuchotis entre amis médecins, le dîner de famille à voix basse dans la salle à manger, les larmes furtives de ma fille, la venue de mon fils pour la nuit et jusqu'à la veilleuse du couloir, qui n'avait pu être oubliée et bleuissait le trou de la serrure... Mon père aussi attendit, pour mourir, la fin des programmes de télévision.

Je suivis ainsi mes obsèques. Lâchement, je fuyais ma famille. Je me refusais à voir le désespoir de ma mère, dépossédée de son unique fils et que l'on emmenait de force parce qu'elle ne voulait pas me quitter ; de même, le chagrin mal contenu de ma femme, veuve d'un mari plutôt fantomatique, épousé dans un rêve de jeunesse et dont elle s'était maintes fois préparée, pourtant. à porter le deuil. Mais le voilà qui survenait au moment où elle ne s'y attendait pas et, peut-être, pleurait-elle sur ce qu'aurait pu être sa vie avec moi, plutôt que sur moi. Je me dérobais aussi devant la peine de mes enfants, qui se séparaient mal d'un personnage longtemps légendaire, épisodiquement entrevu et un peu farfelu, dont ils garderaient surtout le souvenir de récits qui valaient bien des contes, et se demanderaient un jour s'il avait pour de vrai existé.

L'article nécrologique publié par le journal crevait la une tant il pétait d'emphase. Je ne parvenais pas à identifier la griffe de son auteur mais il avait pondu un papier vraiment définitif car, sous les charges conjuguées de la louange et du style, il m'était impossible de me relever. Une anthologie des articles et discours nécrologiques constituerait, à coup sûr, l'un des bouquins les plus drôles du siècle. Il ne faudrait pas y omettre le prélude à l'affaire Dominici. A la veille du procès du vieux Gaston, inscrit dans les annales criminelles comme « le patriarche de la Grand-Terre » et condamné à mort pour le massacre de la famille Drummond — père, mère, fille — on célébra une cérémonie du souvenir à Forcalquier, sur les tombes des victimes. Et dans le coquet cimetière vernissé, où les morts nichent dans des haies de buis, s'éleva la voix solennelle d'un pontife local, sosie du Panisse de Marcel Pagnol : « Maintenant, mesdames et messieurs, inclinons-nous bien bas devant ces trois sépultures toujours fraîches, vivants témoignages de l'impérissable amitié franco-britannique. »

J'étais furieux qu'une fois de plus on m'attribuât une

chance exceptionnelle. Je cite de mémoire : « ... Il avait si souvent côtoyé la mort, qu'il ne la craignait pas. Il était comme le charmeur de serpents qui fait fi de la morsure du cobra. Un pacte tacite les unissait : " Quand tu frapperas, ne me manque pas ! " lui avait-il dit. Il ne pouvait concevoir une fin de grabataire et souhaitait une issue brutale, en plein combat, ce même combat pour l'information qui était sa vie. En lui évitant le supplice de la paralysie, le sort a épargné à sa famille et à ses amis un insupportable martyre. Il s'en est donc allé selon son vœu. Alors, pour aussi cruel que soit l'adieu, une consolation vient atténuer notre lourde peine, celle de savoir qu'il dort en paix, avec la mort qu'il avait souhaitée. » Mon cul ! Le choix de sa mort, on en discute en bonne santé, au champagne ou au pousse-café. Mais ça n'a jamais été une affaire de relations publiques. J'attends encore un sondage auprès des moribonds, pour savoir si leur saut dans l'au-delà comble leurs désirs ou pas. On a vite fait d'octroyer à chacun, comme une bénédiction, une fin selon son métier ou sa fonction. Une supposition qu'il en aille ainsi pour les pilotes d'avion, on cavalerait ferme vers les cimetières. Et ça ferait aussi sensation de voir les croque-morts tomber sur la bière... Heureusement que nul n'avait eu vent de ma nuit avec Amalia. Je ne serais plus le héros frappé à la pointe noble de l'information, mais le salaud, honteusement piégé par le stupre et la fornication. Alors, tandis que l'abbé exaltait mon rappel à la félicité de là-haut — ça n'aurait pas été chic, Bon Dieu, de profiter de la situation pour me faire le coup du président Félix Faure — on persiflerait dans les travées : « Vous savez comment il est mort ? En baisant... Le veinard ! ... »

J'épluchais l'assistance et je lisais les pensées sur les visages. Ils reflétaient les sentiments que j'attendais de chacun, ce qui explique ma voyance. Il y avait les amis, les vrais, bouleversants au point de m'arracher des larmes et ceux, en toc, qui se drapaient dans une solennité cocasse. Je dénombrais beaucoup plus de connaissances que je ne pensais et je leur savais gré de donner à mes obsèques le caractère d'une manifestation populaire. Des curieux et des oisifs, venus avec l'espoir de voir des têtes dont on parle, se décarcassaient pour les repérer. Les férus du protocole, et ceux qui ne pouvaient faire autrement que d'être là, se pressaient pour qu'on les voie. On ne se doute pas de la foule de gens qui courent après la mention de leur nom dans le journal. Il se glisse aussi parmi eux quelques malins, assidus aux manifestations notables, qui ne manquent pas de signaler leur présence au chroniqueur de service, afin de posséder des alibis irréfutables. Pour une fois, Louis, dignitaire de l'un de ces clubs très réservés où l'on se trie sur le volet, ne s'était pas débiné, lui qui me disait :

« Rien ne vaut des obsèques pour courir le guilledou. On se met sur son trente et un sans éveiller de méfiance chez soi et l'on dispose d'un temps convenable pour la bagatelle. Avec une homélie ou un laïus, on peut même attraper les mains pour les condoléances... »

Dans le tas, un quarteron était venu vérifier si je m'en allais. Je ne dis pas qu'ils se réjouissaient mais, à des titres divers, ma disparition les soulageait. Ils ne pouvaient rien me reprocher de sérieux et je ne leur avais jamais fait de mal, mais la jalousie, c'est connu, suscite plus d'ennemis que la méchanceté. Il a toujours existé, en outre, des gens plus pressés que les autres de secouer le cocotier. On a beau leur rappeler avec le proverbe africain que, plus vite on y grimpe plus tôt on montre son cul, ils estiment que l'exhibitionnisme fait partie des atouts de l'époque. Mon enterrement tenait ainsi du drame et du canular. Je m'en délectais jusque dans les larmes. Il fallait pourtant en terminer et il se traînait. Je n'ai jamais aperçu mon cercueil et j'ignore ce que l'on avait fait de moi : dès que je découvris, à la jointure des volets, une fuite blafarde de jour, je remontai du néant pour me jeter sur elle, gueule ouverte, comme dans les aquariums de la mort lente des restaurants se pressent, à la bouche d'air qui souffle leur survie, les malheureuses truites mouchetées condamnées au bleu. Au cours de mon interminable pénitence il y eut plusieurs programmations nuancées de mes obsèques. J'avais fini par me prendre au jeu et, en vertu du principe qu'il faut feindre de contrôler ce que l'on ne peut commander, j'en réglais en personne le cérémonial. L'assistance ne varia guère car, dans sa majorité, elle vint défiler dans ma chambre.

Raté de la route, réputé miraculé, je n'avais plus besoin d'aller au-devant des événements ni des gens qui les font. J'étais, à mon tour, l'événement et je le fabriquais. On venait à moi comme on se pressait à mon enterrement. Par affection, amitié, convenance, intérêt, curiosité et même sadisme. La connaissance directe de la mort m'avait marqué, tout ce livre en témoigne, et on sait le phénomène de dédoublement, d'abord confus, puis de plus en plus précis qui, dès mon retour sur terre, s'opéra en moi. Je me demande si je l'ai bien traduit, mais il n'est pas facile d'endosser un transfert de personnalité quand on a fabriqué sa vie plus qu'à moitié ; de débrouiller les pensées et les sentiments emmêlés, avec les contradictions d'un conflit interne qui prend l'ampleur d'un heurt de générations ; d'ordonner les cafouillages d'une mémoire partagée entre la sauvegarde d'un passé qui se dépersonnalise et l'enregistrement d'un présent tout neuf, qui se débat aussitôt dans les lacets du souvenir ; de se libérer de sa chrysalide quinquagénaire et de prendre son essor pour une vie transformée, mais que l'ancienne traque sans cesse. Et ce bouleversement, déclenché sous le poids de la souffrance qui libère les instincts, dans l'angoisse de la solitude, qui exacerbe la sensibilité, se précisait dans la pénitence de la captivité, qui délivre l'intuition. Les trois se conjuguaient dans l'écrou qui me rivait au lit, car l'allégement de la douleur physique rend sa primauté à la torture morale ; un patient se complaît à demeurer seul avec lui-même, surtout quand il n'est pas geignard de nature; la servitude avive l'épiderme et blesse, l'inaction aiguise l'attention jusqu'au qui-vive. Il en résulta beaucoup de clairvoyance et des besoins de provocation.

Il passa ainsi beaucoup de monde au pied de mon lit. Ma domestique, une fille des îles, n'arrêtait pas de faire la navette, de son pas nonchalant, entre ma chambre et la porte de l'appartement. Par elle, toujours très mystérieuse, ce défilé en demi-ton si dense qu'il fallait parfois faire antichambre, prenait un air séditieux. On aurait dit un pèlerinage clandestin au chevet d'un héros sudiste de la guerre de Sécession : la servante fidèle et complice était dans son rôle, qui ouvrait, avec cérémonie, le chemin jusqu'à son patron. Les journées se partageaient entre le divertissement en compagnie des amis et la comédie avec les autres. Un bar roulant, bien fourni, facilitait, quand besoin était, la chaleur des contacts. Et l'on n'a jamais autant bu à ma santé qu'en cette quarantaine où j'analysais si bien le monde du dedans, à la manière de Noé dans son Arche. J'avais mis vite au point plusieurs versions de ma mésaventure, dont le récit était le best-seller de circonstance.

Elles se fondaient sur les mêmes données fondamentales mais variaient dans la forme et le détail, selon l'intérêt et la confiance que j'accordais à mes visiteurs. Quand ils étaient limités, je m'amusais, par des silences calculés, des sous-entendus équivoques, des allusions énigmatiques, à susciter les réactions qui trahissaient l'état d'esprit de mon interlocuteur. Et les révélations de mon enterrement prématuré se confirmaient avec une exactitude sidérante. J'en vins à me demander, tant il a contribué à m'éclairer, si la tzigane n'avait pas inspiré ce cauchemar préliminaire, pour la démystification de ceux qui me dindonnaient. Ce jeu, le seul de ma vie où je n'aie jamais perdu, me soutint beaucoup dans mes défaillances. L'évidence de la vilenie fouette et, depuis trop longtemps cocu, j'alignais les constats d'adultère avec un masochisme triomphant. Je réalisai même un échec et mat en amenant le prince des tricheurs à me tirer la révérence, la balarme à l'œil, persuadé que mes jours étaient comptés. Le baiser de Judas qu'il me donna m'a révélé que la mort était moins amorale que lui.

Bistrot préféré de mes bons amis, ceux qui ne s'étonnaient plus que je revienne de loin car il leur suffisait que je sois là, ma chambre était le rendez-vous d'un cénacle passionné qui, selon les présents et les événements, débattait de tout. Je lisais leur affection dans le moindre de leurs gestes. Un monde original se refaisait autour de moi, sans ombrage ni malice et j'en étais le nombril. Nous disputions un soir une belote, Marie, ma bonne copine au charme de créole, son grand fils Pitou et Maurice, l'un des toubibs fraternels, avec André, Marc et Pierre, que mon cas ne cessait d'étonner. Unanimes, ils approuvaient la décision du professeur Orlu de faire confiance à ma carcasse, « charpente de béton armé, avec des scalènes et un trapèze de rugbyman ». Mais lorsque, à la pointe des ciseaux à broder, Pierre enleva les points de suture qui me faisaient au crâne une cicatrice barbelée, ce mécréant notoire ne put s'empêcher d'admettre : « Quelqu'un, là-haut, t'a vraiment donné un coup de pouce. » Nous jouions donc aux cartes sur mon lit, une antiquité espagnole du style échassier. Un pupitre réglable, avec miroirs mobiles, enjambait ma poitrine et me permettait de lire sans effort ou de participer à un minimum d'activité. La partie s'animait. J'en enregistrais toutes les secousses mais ne désirais suspendre le jeu ni désenchanter la diversion qu'il créait. Et le lit s'effondra sous un classique « Belote ! Re-belote ! Dix de der ! » assené par Pitou. Marie et Maurice avaient roulé sur moi. Le sommier et le matelas amortirent la chute, mais nous guettions celle des montants qui branlaient sur nos têtes :

« Le choc t'a fait mal ? s'inquiéta le toubib.

— Pas du tout.

— Pas de contrecoup à la tête ? Pas de vertiges ? Ni de troubles visuels?

— Aucun.

— Tu comprends la nécessité de la minerve ? »

Jambes en l'air, Marie, anxieuse, n'osait bouger. Rassurée, elle camoufla son émoi sous l'ironie :

« Claquer dans l'écroulement de son lit ! Le comble de la poisse... Et qui aurait cru à la partie de belote ?... »

Nous nous sommes regardés et le fou rire nous emporta. La bonne introduisait Denis, qui nous découvrit ainsi, pêle-mêle, dans les décombres. Son ahurissement relança notre hilarité. Une semaine plus tôt, ce parfait ami ne m'avait pas reconnu sous mes pansements, à Orly, lors de mon retour de Munich. Nous étions rentrés côte à côte dans l'avion de Toulouse. Je ne pouvais plus redresser la tête, ni seulement parler. Tout retourné, il avait dit à sa femme, avec son instinct paysan que, à l'image des bêtes, j'étais rentré chez moi pour y mourir. A sa première visite, ça nous avait soulagés de pleurer ensemble. Il me retrouvait riant aux larmes et sa joie s'épanouit sur la nôtre. On mobilisa par téléphone les copains pour rétablir la situation. Ils accoururent avec du champagne. Je n'en avais pas bu depuis ma nuit, si lointaine déjà, « Chez Belmondo ». On arrosait alors, aussi gaillardement que possible, la remise en jeu de mon existence sans se douter de la menace mortelle que faisaient peser sur moi les gymnastiques auxquelles je me livrais. Il ne m'était pas venu à l'idée de faire péter une roteuse, comme disait Bernard, parce que j'avais entrevu la vie en rose, après une chaude alerte, dans l'enjambée d'une ambulancière. Au fil d'un rétablissement, dont je n'ignorais pas, malgré les apparences, les redoutables aléas, l'aventure d'une chute de lit nouait le souvenir d'une farce. Et puisque aux yeux les moins avertis elle confirmait ma baraka, elle méritait d'être célébrée au champagne.

« Tu te rends compte que je pouvais avoir sur la conscience la mort de ton époux ? Et, de plus, dans son lit ?» disait Marie, égrillarde, à ma femme imperturbable ; son imagination contrainte de comprendre tant de choses dans le partage de ma vie, était disponible pour toutes les invraisemblances.

Et Maurice s'empressait de témoigner que, malgré les apparences, le drame se purifiait dans une totale innocence. De l'accident au crime parfait il y avait la marge classique entre le fait divers et le roman policier. Il appartenait à chacun de la combler à son gré. La consolidation de mon lit précéda ainsi joyeusement la mienne.

On parlait surtout de rugby lorsque Jérôme descendait de son perchoir des coteaux. A chacune de ses visites il me communiquait un peu de sa paisible assurance. J'ai toujours envié le calme de sa voix, la précision de ses propos et la mesure de ses gestes. Et aussi la distinction avec laquelle, le visage enluminé, il se laisse parfois glisser dans un heureux état second qui n'est jamais une cuite banale, parce qu'il s'en exhale, jusque dans les silences, des vapeurs d'humour. S'il peut donner à ceux qui le connaissent mal l'illusion d'un flegme britannique, c'est afin de mieux maîtriser une sensibilité généreuse, qui fait de lui un ami et un conteur fascinants, tant il est vrai que l'on ne s'ouvre qu'à ceux que l'on aime. Je communiais d'autant mieux avec lui qu'il avait vu aussi la mort. Non pas directement sur lui, sa gueule de raie à découvert, mais tout contre lui, perfide et scélérate avec un sourire aimé. Celle qui m'enleva mon père. Elle l'avait condamné d'office, sans l'entendre, ni lui, ni personne, à cette terrible solitude où l'on ne redevient plus jamais soi-même parce que l'on s'oublie dans la quête de l'autre. Nous étions tous deux touchés, choqués par elle, l'un et l'autre frappés et elle tissait entre nous une relation nouvelle, la complicité des relégués de la douleur.

Max accompagnait en général Jérôme, qu'il grisait avec sa pétulance. Ancien international de rugby, aussi brillant dans sa vie de bâtisseur que sur les stades, il craignait une seule chose : que sa précoce calvitie ne portât atteinte à sa prestance. Jérôme le moquait, en prétendant qu'il racontait des histoires tirées par les cheveux. Nous nous accordions pour dénoncer la tartuferie d'une classe dirigeante qui tendait à faire de la F.F.R. la Fédération des Faisans du Rugby. Ce sport de seigneurs se galvaudait en effet dans l'outrance des westerns à l'italienne, avec des présidents chefs de bande, caracolant, chéquier à la main gauche, colt dans la droite — « J'achète ou je flingue » — et des shérifs matamores, pétant de fatuité, le cuir mégissé pour avoir partout trempé.

Vladimir et Stanley, nos amis éloignés, étaient accourus

pour me dire l'inquiétude et les espoirs de l'internationale des reporters. On discutait journalisme.

« Je suis effaré de relever à quel point, chez vous, on se sert de la plume au lieu de la servir », me disait Stanley.

Il me fallait bien reconnaître que la déontologie journalistique était ouvertement bafouée et souvent par ceux qui avaient à charge de la faire respecter.

« Naguère, encore, c'était toute une affaire d'honorer sa vocation, car on savait que le droit de juger entraîne le devoir de se faire juger. A présent, l'humilité se perd, on mange sans vergogne à tous les râteliers et l'on voit le sacerdoce de l'information se muer, d'une façon ou d'une autre, en négoce. »

Avec une fidélité touchante et des attentions presque filiales, Raymond venait heureusement me rappeler, à son insu, que, selon Bernanos, « l'humilité trempe les forts ». Je m'étais intéressé, il y a quelques années, à ce gavroche orphelin, facilement en rébellion contre une humanité qui lui avait marchandé les affections élémentaires dont se nourrissent les gosses. Le cœur à fleur de peau, il était comme ces chats de gouttières, farouches et fiers qui, une fois apprivoisés, se rassasient de caresses avant de toucher à leur gamelle. Dressé, soutenu, il avait avec courage tracé son chemin, pris femme et fait des enfants. Dès l'annonce de mon retour, il s'était précipité chez moi, des gâteries plein les mains. Je savais déjà que les humbles faisaient de la gratitude leur noblesse. Quelquefois, Raymond ne franchissait pas le seuil de ma chambre, tant mon image de gisant l'impressionnait et il courait sans bruit porter à la cuisine ses offrandes et ses larmes. Un jour il me dit crûment :

« Avec tous les risques courus et les services rendus, ce serait vache si vous ne vous en tiriez pas... »

Cette éventuelle vacherie aiguillonna un souvenir qui se précipita. Lors de l'Année Sainte du demi-siècle, je butai, au Vatican, sur un curé de campagne monumental, que je connaissais très bien car il était de mon pays. Joyeux viveur, un peu paillard, ce personnage anachronique semblait oublié par Rabelais dans un monde de componction, dont il se gaussait. On le voyait mieux trousser des gaudrioles avec Gargantua que des cantiques à Saint-Pierre-de-Rome. Je m'étonnais de sa présence dans les parages du Saint-Siège, d'autant qu'il arborait une tenue fort peu protocolaire, avec des godillots cloutés hors série, une soutane pisseuse et la bedaine croulante soutenue par un double ceinturon.

« Une bonté de notre évêque, m'expliqua-t-il en toussaillant, car son brûle-gueule rongé distillait un jus noirâtre, qui corrodait sa gorge et suintait aux commissures des lèvres. Il a demandé à tous les curés-doyens du diocèse de désigner un prêtre par canton pour un séjour d'une semaine à Rome, dans le cadre de l'Année Sainte. J'ai donc convoqué mes abbés pour le tirage au sort de l'élu. Le plus jeune pêcha parmi les douze bulletins en vrac dans ma barrette et, ô miracle, ferra le mien. Le Bon Dieu me désignait. »

Je m'extasiai, et afin de remercier le Seigneur d'un choix doublement heureux, car il m'offrait la pittoresque compagnie de l'un de ses serviteurs les mieux doués pour l'animation du paradis, nous partîmes vider, dans la plus proche trattoria, une bouteille d'Asti. Comme je levais mon verre à la grâce divine, le curé se confessa :

« Vous connaissez le proverbe : " Aide-toi, le ciel t'aidera. " Pour éviter toute erreur sur la personne, les bulletins ne portaient que mon nom. J'ai hésité avant de les trafiquer. Mais je ne connaissais pas Rome. Seul, le Bon Dieu sait si je lui ai vraiment forcé la main. Peut-être entendit-il ma prière :

“ Voilà une trentaine d'années que je suis un de vos bourrins increvables. Ne pensez-vous pas que je mérite un picotin d'avoine ? ” De toute façon, il ne pouvait se tromper. »

Moi aussi, et depuis un bail égal j'étais, pour ma part, un honnête serviteur du dieu des journalistes, que l'on dit être le Hasard. Certes, il avait déjà beaucoup fait pour moi mais il ne pouvait me reprocher le moindre manquement. Car en reportage, pour mériter le Hasard, il faut aussi le provoquer. Or j'étais toujours présent, pour le meilleur et le pire, ramassant, de-ci, de-là, le paludisme, la dysenterie, maintes balafres, des morsures et des horions, même une « Mercedes » ; j'avais pratiqué des cachots sous toutes les latitudes, entendu siffler les balles, tonner le canon, s'égrener les chapelets de bombes, vu les crémations au napalm ; je connaissais la dure au moins autant que les palaces, la trouille mieux que le plaisir, la fatigue, jusqu'à l'épuisement, davantage que les loisirs. Mais tout cela ne se chante pas sur les toits, car c'est la règle du jeu. Et l'on imagine en général le reportage comme une grande vadrouille.

« Alors, je dis à mon Bon Dieu : “ Voilà une trentaine d'années que je suis un de vos bourrins increvables. Je ne vous demande pas d'avoine. Laissez-moi seulement revenir à Rome. A mon dernier voyage là-bas, j'ai jeté une lire par-dessus mon épaule dans la Fontaine de Trévi. ”

— Pourquoi voulez-vous revenir à Rome ? demanda Raymond.

— Parce que tous les chemins y conduisent. Pour y aller, je referai ainsi le tour du monde. »

Il m'embrassa :

« C'est bon ! Vous vous en tirerez !... »

Le dévouement de ce gamin, la fidélité de mes amis, les révélations multipliées dans ma chambre, devenue pour certains un confessionnal, dessillèrent mes yeux sur des réalités immédiates que mon nomadisme m'avait escamotées. En bien des domaines, la valeur des êtres et la signification des choses s'en trouvèrent changées. Et de mensonges en ingratitudes, de déceptions en écœurements, le baroudeur impénitent qui montait la garde en moi peu à peu désarma. Il s'aperçut que, « dans ce désert d'égoïsme qu'on appelle la vie », comme disait Stendhal, le chameau était plus que jamais roi. Il jeta donc aux orties son attirail d'hidalgo, la visière en carton, la pertuisane et le pavois. Et au terme d'une nuit douloureuse, où il découvrit, par-dessus le marché, que la sécheresse d'un cœur pour qui il s'était battu n'avait d'égale que celle de la mamelle qui le recouvrait, Don Quichotte mourut à l'aube.

Tout ce que je viens de raconter, c'est la façade. Il fallait bien que je la commente, dans sa fantaisie et sa sévérité, afin que l'on partage mieux mes sentiments et, le cas échéant, que l'on m'accorde indulgence pour ce qui se déroulait derrière elle. Cette double vie a exigé de moi une tension constante et jamais soupçonnée, qui me mobilisa sans répit, jour et nuit, jusqu'à la quarante-cinquième. La paix fut en effet lente à venir après la cessation des hostilités entre mon mal, mon corps et mes pensées. Je demeurai longtemps sur le qui-vive, dans le maquis étouffant et diabolique de mon eschatologie, comme ces soldats japonais que l'on découvre encore à l'affût, dans la jungle des Philippines. Après mes folies munichoises et la révélation désagréable que ma vie se jouait à passe et manque à la boule du destin, j'avais retrouvé, dans mon cadre familier, une certaine quiétude. La tzigane était vite accourue me rappeler sa prédiction. J'avais présidé à mes obsèques, cauchemar favorable qui confirmait le rêve d'Amalia et libérait d'emblée mon comportement. Le professeur Orlu passait régulièrement pour m'inciter à tenir le coup et le cou et si je m'expliquais mal les angoisses qui m'empêchaient, la nuit, de fermer l'œil, je trouvais une charitable compensation dans la richesse de mes journées. Elles étaient bien pleines, à défaut de bien faites, ce qui m'épargnait de tuer le temps, donc de trop penser à moi. De l'évocation répétée de mes déboires, je tirais la leçon que l'existence, surtout aventureuse, avait un côté funambulesque et qu'il fallait se casser plusieurs fois la gueule avant de trouver son équilibre. On m'accordait une certaine sagesse, celle que l'on se façonne soi-même, selon l'optique infligée par les événements, et j'en profitais pour exercer cette causticité que sécrètent les rancœurs d'un état d'infériorité. C'est le pet de la mouffette à la face de l'adversité. Quand je le lâchais, on l'acceptait en général sans tiquer, par politesse, bien sûr, mais aussi parce que le vice de la flagellation est plus répandu qu'on ne le croit. En opposition avec l'art du funambule, j'avais mis au point le numéro du parapluie — fétiche numéro un de la société moderne, ouvert, de bas en haut et de haut en bas, par tous temps et en tous lieux, et baptisé par exorcisme pépin, afin de mieux les éviter — numéro qui faisait précisément les délices des lavettes à qui je le destinais. Je m'installais donc avec cet état d'esprit dans ma pénitence quand, bien avant mon lit, cet univers précaire s'effondra.

Le professeur Orlu m'avait déjà mis la puce à l'oreille en glissant, dans sa conversation, des questions d'apparence anodine sur mes réflexes et mes sensations. Quand il ne pouvait venir, il déléguait son assistante, sa femme en l'occurrence, qui se plaisait ensuite à caqueter avec la mienne. Ce matin mémorable, donc, le cinquième, un ange suspendant soudain le brouhaha de la rue, me porta, sur ses ailes, la menace de l'œdème médullaire. Sans être médecin je compris aussitôt le problème : la compression de la moelle épinière, irritée, enflée sous une cause quelconque, dans son canal rachidien réduit par ma fracture-luxation de pendu. Et Mme Orlu parlait, bien sûr, de paralysie générale. Dès que je fus seul, ma domestique, à ma demande, m'apporta le dictionnaire médical. Il disait que l'œdème médullaire était fréquent dans les lésions de la colonne vertébrale et celles du rachis cervical en particulier. Il ne se manifestait pas forcément dès le traumatisme et, selon la gravité des blessures, pouvait à tout moment se déclarer au cours du premier mois. Je savais tout, à présent — et que la crainte du professeur Orlu était motivée. Je réagis très vite à ce coup de barre qui chavirait l'esquif sur lequel je godillais. Au secret qui m'entourait, j'allais, sans délai, opposer le mien. Ma décision était tacitement prise depuis ma nuit du « Hilton ». Je me refusais à subir une déchéance physique et à l'infliger à ma famille. Pour moi, le suicide ne se discutait pas. Je ne dirai pas s'il est affaire de volonté ou de fierté, de faiblesse ou de lâcheté. Je sais simplement qu'en cette fin de matinée j'ai pris, à l'insu de mon entourage ; bien entendu, toutes mes dispositions pour me donner la mort.

Afin qu'on ne le rende pas indirectement responsable, j'ai juré le silence au complice désolé qui m'apporta mon vieux pistolet, chargé jusqu'à la gueule, celui que la Gestapo et la Wehrmacht m'avaient contraint d'adopter pour ma défense. Du genre parabellum, il était plutôt encombrant. Je le glissai dans le porte-documents, à la fermeture éclair toujours ouverte, où j'entassais l'abondant courrier quotidien qui me comblait de vœux. Ainsi commença ma double vie, celle que j'ai dite — le plus dur était pour moi de ravaler tous les jours la façade — et l'autre, celle de la sentinelle solitaire qui veillait sur elle-même, l'arme à portée de la main, prompte à se lâcher, à la moindre attaque, une balle dans la tête. J'avais, en principe, écarté le tir dans la bouche, car je me devais de garder à tout moment, au bout de ma langue, le pardon que je solliciterais des témoins de mon acte. Personne ne se douta jamais de rien ni les miens, ni mes amis, encore moins les autres. Et le soir où le lit s'écroula, c'est avec un rire fou que je dissimulai le pistolet dans la poche de mon pyjama. Il avait glissé du porte-documents renversé près des fesses de Marie, qui ne se doutait pas qu'elle avait un pétard sous le sien. Je paradais ainsi, l'esprit jamais en relâche, pour échouer aux abords de minuit, quand le monde se retire de l'écran du téléviseur et ma femme ou mes enfants de ma chambre. Je m'abandonnais alors à la détresse de la nuit. Le bilan d'une vie est interminable, surtout quand regrets et remords prennent le dessus. L'un engendre l'autre selon un phénomène réciproque de génération spontanée. On a l'impression de s'en aller en laissant une fabuleuse masse de dettes, d'avoir tout loupé, et de mériter pis que l'oubli, le mépris. On appelle désespérément le côté *soleil* de l'existence, mais il n'apparaît jamais et l'on sombre dans le côté ombre, toujours plus sombre, toujours plus ombre, toujours plus sombre, toujours plus noir.

De temps à autre je remontais du néant en faisant jouer, comme devant le stade olympique de Munich, mes jambes et mes bras, afin de ne pas me laisser surprendre par la paralysie et d'en déceler assez tôt les prémices.

« N'approchez pas ! Laissez-le mourir en paix », avait glapi le cappuccino, ce pédé qui, seul, dans l'indifférence totale de la foule, s'était conduit en homme. La féminité se galvaude tant à notre époque et cède, avec un tel aveuglement au prurit de la masculinité, plutôt qu'à celui de ses désirs, qu'après tout, je pense, il n'y a pas de mal à être pédé.

Je me repêchais aussi, en m'agrippant au pistolet, des abîmes où je naufrageais. Je le sortais, la nuit, de sa cachette, et le posais tout près de moi, sur le lit. D'abord sa carcasse froide me surprenait car j'ai toujours eu les armes en horreur. Elles ont pris sa glace à la mort qu'elles donnent et j'appréhendais moins de peloter un serpent. Mais ce pistolet, je ne sais si je m'accoutumais à lui ou s'il se réchauffait à mon contact, en tout cas il m'apprivoisait. Je le tripotais pour m'en rendre maître, sans angoisse afin qu'il ne me manque pas, car il devenait responsable de moi. Le regard en trou de serrure de la veilleuse, dans le couloir, le fardait d'une vague luisance. Et j'en arrivais à le trouver séduisant. Alors que je m'abîmais dans les renoncements, il me faisait des œillades de vie, ce vieux pistolet. Il y avait tant de souvenirs entre nous, depuis ce premier tir qui s'était perdu dans le ciel ! Heureusement pour Helmut qui, en ce début d'année, ne m'aurait pas écrit sa joie d'être grand-père. Pourtant je ne voyais que lui, au bout du canon, dans une trouée de feuilles qui lui faisait, déjà, une couronne mortuaire...

On ne se bousculait pas au maquis en ce temps-là. Cette première sélection favorisait un éclectisme passionnant. Mon meilleur copain un séminariste maurrassien, pensait, avec Roger Garaudy, bouté hors de son parti depuis lors, qu'il n'existait que deux philosophies politiques solides, l'Action Française et le Communisme. Il se nommait Lacroix, ce qui le dispensait de dissimuler son patronyme sous un surnom de combat. Nous étions ainsi une vingtaine, très clandestins, dans un hameau abandonné des gorges du Viaur, aux confins du Tarn et de l'Aveyron. Pour éviter à notre curé, comme nous l'appelions, toute obligation ou tentation homicide, nous lui avions confié l'intendance. Ce matin-là de la fin juin, il fallait prendre livraison de deux moutons chez un paysan du plateau. Lacroix me choisit comme chauffeur. Il n'était jamais armé et l'expédition ne présentait, *a priori*, aucun danger. Je pris néanmoins mon pistolet encore vierge et une mitraillette avec une poignée de chargeurs. Nous fîmes prudemment surface en haut des gorges et, par des chemins creux enfouis sous les fougères et les haies vives, nous nous coulâmes jusqu'à la ferme. Les moutons ont beau incarner la passivité devant la mort, le couple qui nous était destiné paraissait si pitoyable que nous ne pûmes endurer ses regards, ni assister à son exécution.

« Et vous voulez jouer aux petits soldats ! ironisait le paysan. Prenez donc un panier et allez cueillir des cerises pendant que je dépèce les bêtes. Il y en a devant la maison, en bordure du chemin qui conduit à la route.

— Tu vas les tirer à la mitraillette ? » dit Lacroix, comme je faisais suivre les armes.

Je l'envoyai sur les roses. Nous choisîmes un somptueux bigarreautier, qui comptait plus de fruits que de feuilles. Comme j'en faisais la remarque, le curé, plus enquiquinant qu'un inquisiteur, revint à la charge :

« Et toi, n'as-tu pas plus de péchés sur la conscience que de poils sur la peau ? »

Lui, il gardait sur l'estomac son sermon matinal, que notre équipée l'avait empêché de placer, comme à l'accoutumée, avec notre pain et notre jus quotidiens. Le cerisier était planté en avant-garde, dans l'angle d'un champ de blé déjà haut, que bornait, debout, une de ces monumentales meules de pierre des moulins d'autrefois. Je posai la mitraillette et la musette de chargeurs au pied du tronc et gardai mon pistolet à la ceinture. Déjà dans l'arbre, Lacroix lançait l'anathème contre une volée d'oiseaux qui s'en mettaient plein la lampe. Je le rejoignis, accrochai le panier à un nœud du tronc et l'invitai à y faire l'aumône de quelques cerises. Il protesta :

« Laisse-moi m'en ficher d'abord une ventrée ! »

Charnus, colorés à point en sang et or, les bigarreaux craquaient suavement sous la dent. Tandis que j'en mettais deux sur trois dans le panier, le curé se goinfrait. Il faisait vraiment un temps des cerises, lumineux et caressant. Tout le plateau frissonnait, les prés, les blés et même, à l'horizon, la route sinueuse qui lézardait en haut d'une croupe. Un véhicule courait sur elle en zigzag, comme un cloporte égaré que le soleil aveuglait. Lacroix crachait les noyaux par paquets, comme des chevrotines. On aurait dit qu'il grêlait. Je fredonnai la vieille chanson du temps des amoureux. Il faillit s'étouffer et m'accusa d'obsession putassière. Il n'avait pas encore mis la main au panier et se souciait peu du procès que je lui intentais pour péché de gourmandise. Le véhicule approchait, jouant à cache-cache de bosquet en taillis. Curieusement aplati, de teinte olivâtre, il ressemblait plutôt à une punaise des bois. Visage crispé, le curé avait interrompu sa ventrée de cerises.

« Je crois que j'ai la courante ! » murmura-t-il.

J'exultais et bénissais la justice immanente. Il avoua que ses tripes se nouaient et se dénouaient.

« Comme le serpent du péché », dis-je.

Il se laissa glisser le long du tronc et il eut juste le temps de baisser culottes, un peu à l'écart, dans le blé où commençaient à saigner les coquelicots. Ravi, je prenais ses fesses pour cible, et les criblais de cerises avariées et de noyaux, en criant : « Bigarreau sur le curé ! » Il pestait, torturé par les tortillements de son ventre et son impuissance à se défendre. Tout à ma diablerie, je n'avais pas entendu arriver la punaise des bois. Verte, tachetée de noir, elle était arrêtée face à nous, sur la route distante d'une cinquantaine de mètres à peine. Stupéfait, tremblotant de saisissement et peut-être de peur, je murmurai :

« Ne bouge pas, curé ! Les Fritz !

— Tu déconnes...

— Ta gueule ! »

Ils étaient deux, comme avalés par la punaise, un engin blindé de liaison. Dépassaient à peine, vers l'avant, leurs têtes casquées. Celui qui ne pilotait pas s'extirpa de son alvéole et s'assit sur le dos du véhicule :

« C'est possible, acheter ? » hurla-t-il.

Pour me donner un temps de réflexion, je fis signe que je n'entendais pas. A genoux, le curé se reculottait. Je lui soufflai l'ordre de ne pas se montrer. Ses mains en porte-voix, l'Allemand scanda sa demande. De la même façon, je lui criai en petit nègre, du haut de mon perchoir :

« Pas cerises pour vendre... Encore pas ramassées. »

Les Fritz se concertaient. Lacroix s'impatientait.

« C'est possible cueillir et payer ? » insista le porte-parole.

« Zut! » siffla le curé.

Et je me surpris à répondre :

«Moi, beaucoup travail. Vous venir!

— Tu es fou ! » suffoquait Lacroix au pied du cerisier.

Sans aucun doute... Mais c'était lâché. Les Allemands s'interrogeaient à nouveau. Et mon interlocuteur m'examina longuement à la jumelle.

« Qu'est-ce qu'ils font? » s'inquiétait Lacroix qui enrageait de ne rien voir. Je bougonnai, les dents serrées :

« Putain de curé ! Ne bouge pas ! »

Le Fritz inspecta ensuite les alentours. Je le voyais rendre compte de ses investigations à mon compagnon, toujours engoncé dans l'engin. Il sauta enfin sur la route et s'avança à la lisière du champ :

« C'est possible mettre voiture dans le chemin ? »

Mon cœur, qui chahutait déjà, se dérégla. La barrière de la propriété, par bonheur fermée, les empêchait d'approcher du cerisier à bord de leur engin fortement armé.

« C'est possible ! » dis-je.

Tandis qu'ils reculaient, l'un à pied pour guider la manœuvre de l'autre, j'organisai à mi-voix l'embuscade :

« Prends la mitraillette et ne te montre pas sans mon

ordre. Ne me perds pas de vue pour savoir de quel côté ils arrivent.

— J'ai encore la courante.

— Tu nous emmerdes !

— Je n'ai jamais flingué que des lapins.

— Tu ne tireras que si je te le demande. »

Je dégainai mon pistolet et le posai sur les cerises, dans le panier. Les deux Allemands émergèrent du chemin, cigarette au bec et sans casque. Ils n'étaient apparemment armés que d'un revolver accroché à leur ceinturon. Jusqu'à ce printemps de 1943, aucun incident n'avait éveillé dans la région leur méfiance. Pour sauvegarder la sécurité de notre précieuse base des gorges du Viaur, nous opérions au large, sur l'autre rive, avec, pour objectif essentiel, la voie ferrée Toulouse-Capdenac.

« C'est possible, traverser champ ? » demanda celui qui baragouinait notre langue.

« C'est mieux faire tour à cause blé. »

Dociles, ils s'exécutèrent et suivirent le sentier l'un derrière l'autre, en bavardant. J'enjoignis à Lacroix de s'écarter sans bruit :

« Quand ils passeront derrière la haie, tu les prendras à revers... »

Et le curé, en s'accroupissant pour amorcer son mouvement tournant, emplit bruyamment ses pantalons, exhalant tout haut un « merde » de circonstance. Surpris par ce juron en rase-mottes, l'Allemand de tête s'arrêta, la main sur son étui à revolver. Je tirai. Le recul faillit me faire lâcher le pistolet. Un rameau perlé de cerises tomba de la cime de l'arbre.

« Vas-y, curé! »

Il arrosa aveuglément la haie. Les Fritz s'étaient plaqués

au sol. J'en profitai pour sauter à terre et me précipiter derrière la meule de pierre. Je les voyais à découvert et les tenais à ma merci. Le canon du pistolet passé dans le trou axial de mon imposant bouclier, je me rachetai en plaçant deux balles sous leur nez. Et je les sommai, en allemand, de se rendre. Tant bien que mal, Lacroix était parvenu à se planquer dans leur dos. Ils jouèrent leur sort à quitte ou double. Ils bondirent et, tiraillant au jugé, tentèrent de rejoindre leur véhicule. Le curé les cloua sur place, d'une rafale dans les jambes. Voilà comment se volatilisèrent un jour, sans qu'il fût encore permis de s'en glorifier, un engin blindé et ses deux passagers, Frantz et Helmut qui, sans jamais regimber, finirent la guerre comme factotums dans la clandestinité.

Frantz dirigeait un collège à Hambourg, Helmut possédait une charcuterie modèle à Mayence, le curé était en passe de coiffer la mitre, et moi sur le point de me suicider, avec le pistolet de notre temps des cerises. On s'envoyait un mot à la saison. Voilà une dizaine d'années, nous étions même revenus ensemble à la ferme du plateau. La présence des femmes avait empêché le chanoine, qui en mourait d'envie, de grimper sur le bigarreautier. Et il avait mûri comme une cerise, à l'évocation de sa colique bénie. Nous convenions en effet que, sans elle, la face des choses eût été changée. Helmut et Frantz se déclaraient persuadés que leur captivité leur avait évité une congélation de soldats inconnus sur le front russe. La petite histoire se veut souvent scatologique. On peut admettre que l'atroce massacre d'Oradour-sur-Glane n'aurait pas eu lieu, si l'un des officiers supérieurs de la sanguinaire division S.S. « Das Reich », saisi d'un besoin pressant, n'avait pris ses distances avec sa colonne motorisée, pour le satisfaire. Sa capture, par deux maquisards en patrouille, contribua à déchaîner la rage de représailles que l'on sait.

Quand reviendra le temps des cerises, je ne serai sans doute plus de ce monde. Ma femme annoncera pudiquement ma mort à Frantz et à Helmut, « des suites d'un accident ». J'espère qu'elle ne leur précisera pas les circonstances, car ils m'en voudraient de ne pas les avoir prévenus à Munich. Lacroix se déplacera. Lui, il saura tout. Il attestera que ce pistolet n'a jamais tué personne, excepté moi. Il sera malheureux. « Bigarreau sur le curé ! » Mais il est bien court, le temps des cerises où l'on s'en va deux, cueillir en rêvant des pendants d'oreilles... Tu te souviens, curé ? Tu m'attribuais les péchés que tu ne pouvais commettre et me faisais pour cela des querelles d'Allemand... Un le mollet, l'autre la cuisse, du travail bien fait quand tu les as tirés aux pattes... Ils s'écroulèrent, avec plus de peur que de mal... Et moi, grotesque, qui visais Helmut à mes pieds et descendais des cerises sur ma tête... C'est vrai qu'il n'avait jamais donné la mort, mon pistolet. Entré désormais dans mon intimité, il m'était précieux pour tuer le temps. Nous refaisions ensemble notre guerre blanche et il m'arrivait ainsi de tailler en pièces mes infernales nuits d'attente.

A l'aube du 22 septembre, un vendredi, je me souviens, j'avais encaissé un sévère sermon de la tzigane. Une belle engueulade, en fait, qui se traduisait en ces termes :

« Alors, on démissionne ? On se laisse emballer par la mort ? A l'épuisement, à la trouille, au chantage, au moral, et même au béguin ? Mais accroche-toi donc ! Tu le sais bien, que tu vas t'en sortir et reprendre la route... »

Ce matin-là, par une curieuse coïncidence, le professeur Orlu avait particulièrement souligné l'évolution favorable de mon état :

« Le temps passe et travaille pour vous. Nous abordons le treizième jour depuis l'accident et, d'apparence, tout va pour le mieux. Puisque vous vous montrez très raisonnable, il n'y a pas de raison de douter de votre rétablissement. J'espère que les prochaines radiographies, dans une semaine ou deux, confirmeront mon sentiment. »

Je reçus en outre d'excellentes visites, dont celles de Pierre Villepreux et Just Fontaine, qui m'avaient dopé car, à nos discussions sur le football et le rugby, transparaissait en filigrane le match de la vie, qui mérite d'être toujours disputé car il n'est jamais gagné ni perdu. Henri m'avait aussi porté les derniers potins du Tout-Toulouse, notamment la promotion d'un fieffé illusionniste, qui se voulait filon d'idées et le faisait accroire. Nous vivons en effet sous le règne des idées, un pluriel qui ne tolère plus de singulier. L'Idée, on s'en fout. Elle ne paie pas son homme. Des idées, on en vit. Il faut donc absolument en avoir et l'on court après, peur d'en être à court. Cette hantise avait fait sacrer chef celui qui avait eu l'idée de proclamer qu'il en avait. Il est passé, le bon temps où l'on disait : « Donne-moi une idée! » C'était alors si rare, si choisi, une idée, que ça n'avait pas de prix, ça s'offrait. A présent on se débat dans une cohue d'idées. Elles se bousculent, se chevauchent, se piétinent et font la queue dans les crânes. Notre société de consommation d'idées ne sait plus où donner de la tête chercheuse. Et de temps en temps, dans le tas, il s'en trouve quelques-unes d'heureuses. On s'y jette aussitôt dessus, on se les dispute et leur exploitation à grande mise en scène escamote l'énorme et coûteux déchet des illusions d'idées.

« Le drame, dit Henri, c'est qu'à présent les cons savent qu'ils doivent, eux aussi, avoir obligatoirement des idées... »

Ainsi s'estompait en ce treizième jour celle qui m'obsédait ces derniers temps quand, en fin d'après-midi, tomba l'incroyable nouvelle du transistor qui meublait en sourdine les silences sur ma table de nuit : « Menacé de cécité, Henry de Montherlant s'est suicidé. » Sur le coup, cette mort du dernier des Romains m'anéantit. Il y avait, d'abord, la stature de l'homme et la dimension de son geste, puis la vertu de l'exemple. Je compris, ensuite, le ridicule de mon propre sacrifice, qui n'en était plus un et qui ne serait plus, si je devais m'y résoudre, qu'une lamentable parodie de stoïcisme. Mais les débats ouverts par ce suicide monumental rendirent bientôt à ma décision sa part de dignité et renforcèrent ma détermination, un instant entamée. Ils occupèrent la soirée tout entière, à la radio et à la télévision, mais aussi dans ma chambre où Odette, qui venait souvent me tenir compagnie à sa sortie du lycée, m'apporta le précieux éclairage de son intelligence de littéraire, tamisé par les scrupules de sa foi. C'était, en soi, une fait divers dans toute sa banalité : le salon donnant sur le quai Voltaire, le fauteuil préféré, le dernier regard voilé sur Paris, la balle dans la bouche et trois lettres d'explication sur la table voisine. Mais il tirait sa suprême noblesse de la fascination du néant, dans l'œil noir du revolver fixant le visage, et de l'éloge fameux que l'on imaginait, courant dans un souffle sur les lèvres, tandis que le doigt pressait lentement la détente : « On se suicide par respect pour la vie, quand votre vie a cessé de pouvoir être digne de vous. Et qu'y a-t-il de plus honorable que ce respect de la vie ? »

Quand je retombai dans ma solitude nocturne, avec la seule compagnie du pistolet, je me dis que je me tirerais aussi une balle dans la bouche, s'il n'y avait pas de témoin, lorsque je sentirais les fourmillements de la paralysie courir en moi et m'anesthésier. J'ai répété le geste, d'une main puis de l'autre, et j'ai ressenti avec soulagement cette fascination du néant. Je ne le redoutais plus. Dans la pénombre, le bloc de papier à lettre dressé sur ma poitrine, j'ai griffonné mon message d'adieu. J'y précisais que si le suicide d'Henry de Montherlant n'avait pas inspiré mon comportement, je lui devais d'être parti en toute sérénité. Il m'aidait à exprimer ce que je ressentais sans avoir pu, jusqu'à présent, exactement le traduire. Et d'abord, que « d'être trop blessé, on meurt ». Je souhaitais que son exemple m'attire les plus larges indulgences et de laisser un souvenir approchant du modèle évoqué dans « Le Solstice de juin » : « Un intelligent, et qui ait du sang. » Ni héros, ni sage, j'espérais néanmoins avoir suffisamment justifié ma vie pour la quitter délibérément, du moment que je ne pouvais plus l'honorer. Je retirai de cette mise en ordre une quiétude certaine et, pour la première fois, la nuit me parut courte.

J'avais hâte de faire ma revue de presse du matin et d'y dévorer les commentaires sur le suicide d'Henry de Montherlant qui, par sa majesté, cautionnait, sans discussion, le mien. J'étais même si détendu qu'il me revint à l'esprit la réflexion attribuée à l'un de mes confrères d'un grand journal parisien du soir, lors du décès d'André Gide. Dépêché au domicile du célèbre défunt pour en ramener des impressions saisies, si l'on peut dire, sur le vif, il rentra presque aussitôt, déçu, et jeta au visage du rédacteur en chef :

« Ça ne vaut rien ! C'est une mort naturelle ! »

Au même moment, François Mauriac enrageait dans les salons du *Figaro*. La fin d'André Gide, qu'il ne portait pas dans son cœur, étant attendue depuis un certain temps, il avait rédigé à l'avance son hommage nécrologique. Et il répétait, paraît-il, en tournant en rond :

« Je vous l'avais bien dit ! »

Redoutant, en effet, l'antériorité de témoignages qui atténueraient la portée du sien, il s'était écrié, quelques jours auparavant :

« Vous allez voir ! Il va encore me faire la vacherie de mourir pour les journaux du soir ! »

Ces évocations avaient laissé traîner un sourire sur mon visage, quand la domestique vint ouvrir les volets :

« Monsieur se sent mieux, aujourd'hui ! » remarqua-t-elle.

— J'ai passé une bonne nuit.

— Monsieur a enfin dormi ?

— Pas encore, mais j'étais tranquille. »

Bien que toujours tourmentées et souvent cauchemardeuses, mes nuits ne furent plus aussi funèbres. Le dernier jour du mois, Mme Orlu, radieuse, m'embrassa :

« Je vous apporte une bonne nouvelle. Mon mari estime que vous êtes à présent hors de danger. »

Et elle officialisa la menace, périmée désormais, assurait-elle, de l'œdème médullaire :

« Votre famille est libérée... Nous aussi... »

Moi pas tout à fait. Trois semaines seulement s'étaient écoulées. Ballotté, au cours de cette éternité, par tous les vents contraires de l'esprit, désabusé devant une vision plus exacte et réaliste de mon monde immédiat, miné par l'insomnie, je cédais au scepticisme. Mes seules certitudes étaient, en effet, l'évidence de mon mal, sa rigueur et mon refus d'en accepter les séquelles. Il restait encore une dizaine de jours à passer pour épuiser le délai de sécurité fixé par le dictionnaire médical. Je ne doutais pas de l'expérience du professeur Orlu, ni de sa maîtrise, mais je croyais aussi à la prudence du texte écrit. La froideur de ma réaction déconcerta.

Un mois exactement après mon soleil dans l'orage wagnérien de Munich, je comparaissais à nouveau devant le pontife radiologue et son chœur d'officiants. Je n'oublierai pas leur cantique d'actions de grâces à l'intention de la médecine, de ses zélés serviteurs, des fidèles de bonne volonté et de tous les impondérables qui conservent à la science un certain mystère, tout en lui permettant de retomber sur ses pattes, même dans ses plus audacieuses entreprises. Il était clair que les vertèbres en goguette étaient à peu près rentrées dans le rang.

« Spectaculaire ! dit le radiologue. On pouvait difficilement espérer mieux !

— Je ne suis donc plus un mort ambulant ? »

Il me lorgna pour jauger mon sérieux :

« Nous sommes tous des morts ambulants... Plus ou moins près de la mort, évidemment. »

Le professeur Orlu se déclara comblé :

« Je n'en attendais pas tant. La partie me paraît gagnée. Il suffit d'assurer sagement la consolidation en fuyant toute imprudence.

— Je pourrai quitter la minerve ? »

Il bondit :

« Jamais de la vie ! Je vous autorise simplement à vous promener dans votre appartement. »

Il me donna le bras jusqu'à l'ambulance :

« Je dois faire amende honorable, me confia-t-il. A votre arrivée, j'ai maudit mes confrères allemands pour leur erreur coupable. A présent, je les bénis.

— Pourquoi donc ?

— S'ils s'étaient avec exactitude rendu compte de la gravité de votre état, ils se devaient de tenter, sans délai, une intervention chirurgicale.

— Et alors ?

— Elle présentait des risques considérables. On les court, dans ces cas extrêmes, parce que la paralysie générale apparaît inéluctable. On obtient quelques réussites mais si la mort survient, elle est souvent préférable à l'impotence totale.

— Si je comprends bien, vive le docteur Torticolis ! Un diagnostic juste de sa part pouvait se révéler criminel...

— Je n'irai pas jusque-là. Car la médecine a ses prétendus miracles, comme la nature, les uns et les autres plus fréquents et normaux qu'on ne le croit.

— Vous pensez cependant que l'erreur m'a été salutaire.

— Oui... Mais nul n'était à même de préjuger de votre résistance. Je ne retire aucun mérite personnel d'avoir misé sur elle. Car ce pari, à la lumière de vos quatre jours d'innocentes folies, devenait la sagesse. »

Une image me sauta aux yeux : les « Rechts-Links » de Véronika.

« Pensez-vous vraiment, professeur, que si mon infirmière de Munich avait poursuivi la gymnastique de ma tête, droite-gauche, elle pouvait me tuer ?

— Oui.. A tout le moins déclencher la paralysie. Elle forçait votre nuque brisée et désaxée. Or, la gitane vous a dit à combien votre sort se jouait.

— J'ai donc sauvé ma vie en mettant la main aux fesses d'une femme. »

Ma déduction était irréfutable. Elle le réjouit :

« Et ça vous a porté bonheur pour la suite, enchaîna-t-il. Voilà bien qui explique tout !... »

Je m'installai, rayonnant, sur la civière à roulettes de l'ambulance. Je recommandai à l'infirmière-pilote de bien fermer la porte.

« Que voulez-vous dire, monsieur ? » s'insurgea-t-elle, l'air offensé.

— Tout simplement, mademoiselle, qu'il faut qu'une porte soit ouverte ou fermée... »

Comme elle prenait le volant, le professeur Orlu passa un visage malicieux :

« J'oubliais... Dès cet instant, je vous autorise les jeux de l'amour. »

Une fois sur l'avenue, l'infirmière encadra son minois dans le rétroviseur :

« Il y a longtemps que vous êtes blessé ? »

Elle interpréta mon sourire à son gré. Il signifiait qu'à la minute précise, je n'avais rien dans la tête, ni le temps, ni le reste.

Cette nuit-là, je ne sortis pas le pistolet de sa cachette et, le lendemain matin, je lui donnai congé. Mon secrétaire l'emporta, en recommandé, avec le courrier. Bien que vaincue, la mort n'acceptait pourtant pas de dételer. Elle s'accrochait à moi, avec une rage de vieille maîtresse grillée. Et j'éprouvais, je l'avoue, un certain mal à me déshabituer d'elle. On ne couche pas, un bon mois durant, avec quelqu'un d'aussi envahissant et exclusif sans subir son empreinte. Elle me fit ainsi des coquineries, pendant deux semaines encore, avant de s'effacer. Et je pus m'abandonner enfin à la béatitude du sommeil.

« Tu devrais écrire cette histoire, me conseilla Jérôme, le soir où je lui dévoilai à quoi je devais la vie.

— Hélas ! on m'a depuis longtemps soufflé le titre.

— Lequel ?

— Eloge de la folie. »

Cet éloge, je le soutins devant Franco, tombé du ciel à l'occasion d'un reportage. Nous ne nous étions pas revus depuis Hanoï. Sur le scénario de mon aventure, il composait des mimiques et improvisait des réflexions, qui confirmaient ses dons généreux pour la commedia dell'arte. Il me trouvait un tantinet changé. Je lui confessai que, en effet, je n'étais plus tout à fait le même. La mort anonyme, qui nous traquait du fond du ciel au Nord-Vietnam, ne bouleverse pas son homme comme celle, très personnelle, que l'on voit venir vers soi, rien que pour soi, avec qui l'on doit palabrer, si j'ose dire, à tête reposée. Le temps n'a plus, soudain, la même dimension. Hier s'éloigne et disparaît, demain ne vient pas, aujourd'hui se marchande miette à miette, comme dans une épicerie de souk.

Pour ma première sortie, j'étrennais un collier montant, assez souple, sorte d'astragale qui assurait un raccord étroit entre le chapiteau et la colonne, tous deux en voie de restauration. Le charme des Toulousaines échauffait Franco. Il brûlait de partir en chasse et flairait les pistes sans savoir où donner de la tête, tant elles s'embrouillaient à cause de la variété du gibier. A la saison des premières neiges, Pierre Delhomeau et son ami Bob se lançaient ainsi dans la capture des animaux à fourrure, loutre, bébé-phoque ou renard gris. Son récit démarre sur leurs exploits de trappeurs. Voilà qu'à la même époque — les crêtes pyrénéennes se cristallisaient à l'horizon comme un monceau de gaufres enrobées de sucre candi — les choses de la vie me remettaient, à la fin du mien, sur les traces de Pierre Delhomeau. Entre-temps, elles l'ont relégué, et aussi Bob, dans un cimetière triste et propre, l'un au hasard d'une bombe oubliée, l'autre par la fausse manœuvre d'un marchand de cochons — son début était déjà une fin — et j'ai aussitôt pensé à lui quand je me suis trouvé seul avec moi-même, sur la route, en marge de l'humanité. Ma fin est un recommencement et sa présence m'assiste encore pour m'assurer que les choses de la vie, désormais, pour moi, comptent double et n'ont plus tout à fait le même sens qu'avant.

Deux filles débouchèrent face à nous, place du Capitole, bottées, à peine culottées, malgré une piquante bise, de mini-shorts en peau, le buste agressif et soyeux moulé dans la laine mohair... Des amazones de grand turf, l'allure aussi cavalière que la mise. Elles nous croisèrent, le naseau palpitant, la crinière au vent et la croupe en goguette. D'instinct, je m'arrêtai et les suivis du regard.

Quand je le ramenai sur Franco, il me fixait, les yeux écarquillés comme un illuminé. Il prit entre ses mains ma tête d'ahuri posée jusqu'au menton sur son carcan comme un œuf sur son coquetier, ramassa son souffle en fond de coffre et, d'une voix de basse, m'offrit théâtralement le prodigieux soupir de défi de Galilée :

« *Eppur si muove !* »

Et pourtant, elle tourne !

RENÉ MAURIES
Sarriciera-Val d'Aran
le 15-6-74. Minuit.

ACHEVÉ D'IMPRIMER SUR LES PRESSES DE
L'IMPRIMERIE AUBIN 86 LIGUGÉ/VIENNE
POUR LE COMPTE DE LA LIBRAIRIE
ARTHÈME FAYARD
75, RUE DES SAINTS-PÈRES, PARIS-VIe

ISBN/2-213-00167-0

Dépôt légal : 3e trimestre 1974. — N° d'édition : 5023.
N° d'impression : 7977.

H/35-5985-3